POSEED

LA

TIERRA

By Carroll Thompson

Published by
Carroll Thompson Ministries
P.O. Box 763954
Dallas, Texas 75376-3954 U.S.A.

PREFACIO.

El nacimiento de esta serie de conferencias tuvo lugar después de muchas horas que pase aconsejando a estudiantes de todos los estados de los Estados Unidos y de otras naciones del mundo. Nunca consideré el llamado de Dios como consejero, sino más bien como pastor y misionero, pero durante los últimos cinco años, Dios ha puesto una carga muy grande en mi corazón por Su pueblo, y yo he tratado de suplir estas necesidades por medio de conceptos espirituales y del ministerio.

Estos conceptos que comparto con este librito han cambiado vidas, han roto severas cadenas, y han liberado a personas para que estas vivan sintiéndose aceptadas y amadas. Han permitido que muchas personas obtengan la aceptación e identidad de sí mismas y han liberado a muchas personas de las heridas del pasado. Creo que estos conceptos van más allá de la siquiatría moderna y no solamente localizan el problema sino que presentan también la solución.

La mayoría de los esfuerzos que se hacen hoy en día para tratar de solucionar los problemas del hombre son inadecuados o temporales ya que la filosofía moderna ha tratado de ignorar el hecho de que el hombre es un ser espiritual. Yo creo que hay respuestas espirituales para el hombre y producir una integración de su ser ahí donde ha habido una contínua desintegración.

En este compendio yo les presento el centro de estos conceptos espirituales que tienen que ver con los conceptos básicos que afligen a la humanidad. El que seamos cristianos, no presenta la solución automática de estos problemas, pero indiscutiblemente, nos coloca en una posición en la cual podemos recibir ayuda. Esta ayuda se deriva del entendimiento adecuado de Satanás y sus obras, del entendimiento de sí mismo y del entendimiento de Dios y de Su provisión para suplir cada necesidad que tiene el hombre. En este compendio tratamos de presentar un enfoque de estos tres conocimientos.

Yo no clamo el tener el conocimiento total en todas las áreas, pero me siento en la obligación de compartir estos conceptos ya que han ayudado a multitud de personas en años pasados. Yo ofrezco esto como una guía para la sanidad y restauración del Cuerpo de Cristo, de manera que el hombre sea un hombre completo—libre para relacionarse con otros y libre para relacionarse con su Dios.

POSEED LA TIERRA

PRIMERA PARTE - ENTRADA A LA TIERRA

INTRODUCCION

La Iglesia ha ocupado un papel mas bien pasivo y una actitud de derrota al en-
cararse con el enemigo que gobierna al mundo. Yo creo que Dios está diciendo
a Su Iglesia "Levántate y gobierna en medio de tus enemigos!"

El dios de este mundo ha establecido sus fortalezas y autoridades en la tierra.
Yo creo que la palabra que llegó a Israel por medio de Moisés es la misma palabra para la Iglesia de hoy en día..."Mirad, yo os he entregado la tierra, entrad
y poseed la tierra..." Deuteronomio 1:8

Una actitud pasiva no conquistará, ni poseerá la tierra. Por consecuencia el
enemigo permanece en la tierra y el pueblo de Dios sufre. Nunca ha sido la voluntad de Dios que Su pueblo sufra por la opresión del enemigo. Dios quiere que
Su pueblo sea un pueblo victorioso; un pueblo fuerte que pueda gobernar en las
circunstancias en vez de ser gobernado por ellas; un pueblo que pueda determinar
la voluntad de Dios y tomar la dirección en vez de ser dirigido por el curso
de los eventos. Dios quiere que Su pueblo magnifique el Nombre del Señor--que
haya hecho de El su Torre, su Refugio, su Escudo, su Protección y su Conquista-
dor.

Con estas lecciones usted se va a sentir animado a batallar contra el enemigo
y a levantarse y entrar dentro de todas las provisiones que Dios ha prometido
a Su pueblo. Las dos últimas lecciones de esta sección señalan áreas en la -
mente y en la voluntad que pueden evitar que el pueblo de Dios se levante en el
Señor y entre en la tierra.

Dos áreas muy importantes en las que el enemigo trabaja son el engaño y la pasividad y estas son discutidas cabalmente. Dios desea que Su pueblo esté libre -
para poseer toda la tierra.

POSEED LA TIERRA

INTRODUCCION: Dios dió la tierra de Canaán a los israelitas. La parte de Dios
fué el darla, la de Israel, el recibirla. La tierra era de ellos,
pero la tenían que poseer.

PRINCIPIO: Lo que se nos ha dado, no nos pertenece automáticamente.

TEXTO: "Mirad, yo os he entregado la tierra, entrad y poseed la tierra
que Jehová juró a vuestros padres... (Deuteronomio 1:8).

TESIS: Sin batallar no se puede poseer la tierra.
--Ejemplo de Sehón (Deuternomio 2:24)
--Ejemplo de Canaán: tipo de vida cristiana victoriosa.

I. EL RETO ANTE LA IGLESIA DE HOY EN DIA --POSEER LA TIERRA <u>EXTERIOR</u>!

1. Jesucristo es nuestro Josué espiritual.

   (1) Josué rompió el poder de las autoridades (Josué 11:23
        12:24; Colosenses 2:15).
   (2) Josué dividió la tierra enfrente de ellos (Jueces 1:1)

2. La Iglesia tiene que enfrentarse con la presencia del enemigo.

   --Ilustración: Israel no poseyó toda su tierra (Jueces 1:19
     21, 27, 28; 2:12).
   --Jesucristo (Juan 14:12; I Juan 3:8).

3. Lo que ha sido dado, debe ser poseído por la Iglesia.

   (1) Una palabra a la Iglesia (Mateo 28:18-20)
   (2) Una armadura para la Iglesia (Efesios 6)
   (3) Una batalla para la Iglesia (II Corintios 10:3-4).

II. EL RETO PARA EL CRISTIANO DE HOY EN DIA --POSEER LA TIERRA <u>INTERIOR</u>!

1. Nuestro Josué ha roto la autoridad del maligno sobre nosotros
    (Colosenses 1:13).

2. Las obras del maligno deben tratarse dentro de la tierra de:

   --la mente
   --la voluntad
   --las emociones
   --el cuerpo.
3. Principio: Lo que ha sido dado, debe poseerse.

   (1) La salvación que ha sido dada bajo un principio de fe, debe
        operar bajo este mismo principio.

   (2) Por medib de la fe, la autoridad de Dios se extiende a todas las
        áreas de nuestra vida.

4. Las obras del enemigo deben ser destruídas y su presencia debe ser expulsada.

III. EL RETO DE SATANAS: ROBAR AL CRISTIANO DE LA PROVISION DE DIOS

1. El va a retar al creyente.

2. Sus obras deben ser atacadas por medio de una fuerza superior.

3. La Cruz es el punto clave de su derrota.

4. El es un enemigo derrotado quien deja sus fuerzas dispersas en la tierra.

CONCLUSION: El poseer la tierra significa enfrentarse al enemigo y a sus obras. No puede haber compromiso en ninguna área en esta batalla. --La Tierra Prometida debe ser la tierra de una completa victoria. Y puede ser una realidad si usted esta dispuesto a tratar con las obras del enemigo.

NUESTRAS ARMAS ESPIRITUALES.

INTRODUCCION: Una vez que los Israelitas cruzaron la tierra tuvieron en frente a la impenetrable Jericó. Los recursos y las armas que ellos tenían no eran suficientes para tomar la ciudad. El Angel del Señor se presentó y les dió las armas espirituales.

TEXTO: "Pues aunque andamos en la carne, no militamos según la carne. Porque las armas de nuestra milicia no son carnales, sino poderosas en Dios para la destrucción de fortalezas." (II Cor.10:3-4).

PROMESA: "Yo os he entregado como lo había dicho a Moisés, todo lugar - que pisare la planta de vuestro pie."(Josué 1:3).

I. EL NOMBRE DE JESUCRISTO--NUESTRA AUTORIDAD.

"Por lo cual Dios también le exaltó hasta lo sumo, y le dió un nombre que es sobre todo nombre: Para que en el nombre de Jesús se doble toda rodilla de los que están en los cielos, y en la tierra, y debajo de la tierra." (Filipenses 2:9-10).

1. Tomamos el lugar de Jesús y usamos el nombre de Jesús como si Jesús mismo estuviera aquí.

2. Dios nos ha delegado Su autoridad (Marcos 16:17; Lucas 9:1; 10:19).

3. Es una cuestión de grado de autoridad.

   (1) "La autoridad de Cristo como Vencedor sobre todas las huestes de Satanas, no es innata en el creyente, pero el la puede - obtener por medio del podèr del Espiritu Santo como respuesta a la fe." Jesse Penn-Lewis

   (2) El grado de autoridad se determina por medio del grado de - victoria personal.

   (3) El grado de autoridad se determina por medio del conocimiento y el discernimiento referente a lo que el Espiritu de Dios quiere que el creyente haga.

II. SU PALABRA--NUESTRA POSICION

1. Autoridad que nos da la Palabra sobre Satanás: (Lucas 10:19; Santiago 4:7; I Pedro 5:8-9; Col. 2:15; I Juan 3:8; I Juan 4:4, Apocalipsis - 12:11; Mateo 18:18).

2. Resista a Satanás por medio de la Palabra: Num. 23:19; Apocalipsis 12:11; Efesios 6:17.

CONCLUSION: "No existe mezcla más poderosa que la del Espíritu y la Palabra de Dios. Cuando se mezclan en las proporciones adecuadas, es cosa segura que el enemigo va a ser expuesto y vencido "Michael Harper.

III. SU FE-NUESTRA VICTORIA

"Al cual resistid firmes en la fe, sabiendo que los mismos padecimientos se van cumpliendo en vuestros hermanos en todo el mundo." (Pedro 5:9).

1. Fe en el poder del Nombre de Jesús.

2. Una fe basada en el conocimiento de la obra de Cristo.

3. La fé debe expresarse. (Hechos 16:18).

IV. SU SANGRE--NUESTRA PROTECCION

"Y ellos le han vencido por medio de la sangre del Cordero, y de la palabra del testimonio de ellos; y menospreciaron sus vidas hasta la muerte." (Apocalipsis 12:11).

1. La Sangre habla del Nuevo Pacto que rompe el poder del pecado.
2. Nos da la protección perfecta contra el acusador.
3. Nos da una posición perfecta delante de Dios.

V. SU ESPIRITU--NUESTRA FUERZA

"Pero el que se une al Señor, un espíritu es con él". (I Cor. 6:17)

1. Fortalecidos con el poder de su Espíritu (Efesios 3:16).

2. El poder del Espíritu nos da habilidad y poder. Ejemplo: La placa o insignia que tiene un policía y la macana, son la diferencia entre autoridad y poder.

CONCLUSIONES: Estas armas espirituales las liberamos por medio de la boca a través de
--la oración, la confesión, la orden o mandato, etc.
--Ejemplo: Israel gritó y las paredes de Jericó cayeron.

NUESTRA ARMADURA ESPIRITUAL

INTRODUCCION: Una iglesia agresiva necesita protección. Dios le ha dado a ella su armadura espiritual. El mandato es: "Vestíos de toda la armadura de Dios." Debemos fijarnos en la estrategia del enemigo y en la protección de Dios.

TEXTO: "Por lo demás hermanos mios, fortaleceos en el Señor, y en el poder de su fuerza. Vestíos de toda la armadura de Dios para que podais estar firmes contra las asechanzas del diablo, porque no tenemos lucha contra sangre y carne, sino contra principados, contra potestades, contra los gobernadores de las tinieblas de este siglo, contra huestes espirituales de maldad en las regiones celestes. Por tanto tomad toda la armadura de Dios para que podáis resistir en el día malo, y habiendo acabado todo, estar firmes. Estad pues, firmes, ceñidos vuestros lomos con la verdad y vestidos con la coraza de justicia, y calzados los pies con el apresto del evangelio de la paz, sobre todo, tomad el escudo de la fe, con que podáis apagar todos los dardos de fuego del maligno, y tomad el yelmo de la salvación, y la espada del Espíritu que es la Palabra de Dios; orando en todo tiempo con toda oración y súplica en el Espíritu y velando en ello con toda perseverancia y súplica por todos los santos." (Efesios 6:10-18).

I. LA VERDAD DE DIOS--UN CINTURON.

1. Formas en que ataca el enemigo.

(1) Mentiras contra el carácter de Dios (Juan 8:44)
(2) La mentira respecto a quien es usted.
(3) Diciendo que el camino que está andando es errado.

2. Contra ataque: La Verdad de Dios nos permite movernos en el campo de batalla.

(1) "Ceñid vuestros lomos" quiere dècir prepárese para acción. (Exodo 12:11).
(2) "Ceñid vuestros lomos" quiere decir "estar vestidos y listos" (Lucas 12:35)
(3) Ceñid vuestra mente (I Pedro 1:13).

II. LA JUSTICIA DE DIOS--UNA CORAZA

1. Formas en que ataca el enemigo.

(1) Acusaciones (Apocalipsis 12:10).
--La desesperación viene cuando creemos lo que Satanás dice en vez de lo que Dios dice.
(2) Condenación (Romanos 8:1)
--Cuando seamos condenados falsamente, declaremos la verdad.
(3) Orgullo espiritual
--Cuando confiamos en nuestra propia bondad.

2. Protección: Un corazón que está cubierto por la justicia de Dios.

(1) Motivos puros: amor y compasión--la gloria de Dios.
(2) Debemos estar firmes en la justicia de Dios (Rom. 3:22, 25, 26).
(3) Satanás no puede penetrar la armadura de la justicia de Dios.

III. EL EVANGELIO DE LA PAZ DE DIOS--NUESTRO CALZADO.

   1. Formas de ataque del enemigo.

      (1) Persecución (Juan 16:33).
      (2) Mentiras (Juan 12:24)
      (3) Compromiso
      (4) Pasividad.

   2. Contra Ataque: Unos pies que siempre siguen el camino de la paz.

      (1) Jesús es el ejemplo (Mateo 12:18-20)
      (2) Los pies son indicación que estamos listos a caminar con el
           mensaje.

   3. El evangelio es poder de Dios para salvación. (Rom. 1:16).

IV. EL ESCUDO DE LA FE DE DIOS.

   1. Formas de ataque del enemigo: "Dardos de fuego".

      (1) Falta de fe (Hebreos 4:2; 3:19).
      (2) Duda.
      (3) Miedo (la antítesis de la fe).

   2. La fe protege por completo al hombre.

      (1) La fe es un escudo que nos cubre de la cabeza a los pies.
      (2) La fe extermina los dardos de fuego.

   3. La fe resiste activamente al enemigo (I Pedro 5:9).

V. LA SALVACION DE DIOS--UN YELMO.

   1. Formas en que ataca el enemigo:

      (1) La mente--el campo de batalla del pensamiento.
      (2) La mente carnal--opera en la carne (Rom. 8:6).
      (3) La mente que no ha sido renovada--se mantiene en oscuri-
           dad (Efesios 4:18).

   2. La salvación de Dios incluye la mente--un yelmo.

      (1) Renováos en el espíritu de vuestra mente (Efe. 4:23)
      (2) Liberación de la memoria de los recuerdos del pasado.
      (3) Liberación de la cautividad producida en la mente por
           medio del ocultismo y los cultos.

VI. LA PALABRA DE DIOS--UNA ESPADA.

1. Formas en que ataca el enemigo:

   (1) ¿"De veras lo dijo Dios?"
   (2) Tuerce y distorsiona la Palabra.
   (3) Roba la Palabra del corazón del que la escucha (Mateo 13:19).
   (4) Doctrina de demonios (I Tim. 4:1)

2. Una arma ofensiva que procede de la boca (Apocalipsis 19:15).

   (1) No tema reprender a Satanás.
   (2) Anuncie la clase de terreno en el que se encuentra.
   (3) Declare la verdad.

3. Esta arma se energiza por medio del Espíritu.

   "La Espada del Espíritu"

CONCLUSION: Dios ha preparado a Su iglesia para enfrentarse a los ataques del enemigo. Nosotros no necesitamos temer estos ataques – cuando estamos firmes, revestidos de la armadura completa de Dios.

ENFRENTANDONOS AL ENEMIGO.

INTRODUCCION: Una iglesia agresiva confrontará a un reino que es espiritual
La palabra para la iglesia es: levántate y domina con Cristo
en medio de tus enemigos (Salmo 110:2).

I. EL REINO DE LAS TINIEBLAS ES UNA JERARQUIA DE INQUIDAD.

"Porque no tenemos lucha contra sangre y carne, sino contra principados, contra potestades, contra los gobernadores de las tinieblas de -
este siglo, contra huestes espirituales de maldad en las regiones celestes." (Efesios 6:12)

1. Principados (Archas: Los primeros, los preeminentes).

Definición: "La persona o cosa que comienza, la primera persona
o cosa es una serie, el líder." Thayer.

Referencia: Rom. 8:38; I Cor. 15:24; Efe. 1:21; 3:10; 6:12;
Col. 1:16; 2:10; 2:15; Tito 3:1.

2. Autoridades: (Exousia: poder que regula o gobierna).

Definición: Poder ejercitado por gobernadores u otros en posiciones altas por virtud de su oficio.

Referencia: I Cor. 15:24; Efe. 1:21; 2:2; 3:10; 6:12; Col. 1:13;
1:16; 2:10; 2:15; Tito 3:1; I Pedro 3:22.

3. Gobernadores de las tinieblas (Kosmokratoras: gobernadores de las tinieblas de este siglo).

Definición: "...Espíritus maestros que son los gobernadores mundiales
en estas tinieblas actuales. Efe. 6:12 Nuevo Testamento
Amplificado (traducido del inglés).

Referencia: Efesios 6:12.

4. Huestes espirituales de maldad en los lugares celestes (Pneumatika
poneria: maldad espiritual).

Definición: Fuerzas espirituales de maldad que habitan la esfera,
encima de la tierra.

Referencia: Efesios 6:12; 3:10.

II. LA IGLESIA DEBE GOBERNAR CON CRISTO EN MEDIO DE SUS ENEMIGOS

"La vara de tu fortaleza enviará Jehová desde Sión: Domina en medio de
tus enemigos." (Salmo 110:2).

1. La posición de Cristo hoy en día (Efe. 1:20-23; I Pedro 3:22; - -
Col. 2:15).

2. La posición de la iglesia hoy en día.

    (1) Su cuerpo (Col. 2:9-10; Efe. 1:22-23; 2:6).
         --vitalmente unidos a la Cabeza (I Cor. 6:17; Rom. 7:4).

    (2) Su herencia (Efe. 1:18).
         --"perla de gran precio"
         --Sentados en los cielos con El (Efe. 2:5-6).

  3. La Iglesia debe extender el cetro de Su reino (Salmos 45:6; 44:5)

III. LA IGLESIA DEBE ENTRAR CON EL OBJETO DE LIBERAR.

  1. Resistiendo (Santiago 4:7)

    (1) Liberación del asalto frontal, de ataques y retiradas.
    (2) Una presión sostenida se puede llamar opresión.

  2. Desatar (Mateo 18:18).

    (1) Liberación del cautiverio.
         La resistencia no es suficiente cuando el enemigo entra y
         rodea algun area de nuestra vida, poniendo un sitio y un
         bloqueo en esa area.
    (2) Otro ayuda a levantar el bloqueo.

  3. Echar fuera (Marcos 16:17).

    (1) Liberación de una invasión y ocupación.
         --El enemigo en realidad ocupa una área de una vida.
         --Una área que no está bajo su control.
    (2) La liberación se lleva a cabo por creyentes que toman
         autoridad y echan fuera los demonios.

CONCLUSION: Al enfrentarse un reino con otro reino, la iglesia debe levantar-
             se en el poder y la autoridad de su cabeza. Los Jericós de mal-
             dad deben derribarse junto con sus gobernantes. Satanás ha teni-
             do tiempo para establecer su reino en toda la tierra. La Iglesia
             debe retar a estas autoridades y derribar las fortalezas de   -
             iniquidad.

EL TERRENO DE LA MENTE

INTRODUCCION: La orden que nos da el Señor es "Poseed la Tierra-interior"

La mente es un gran campo de batalla; no puede haber paz hasta que cada pensamiento haya sido puesto bajo la obediencia de Cristo.

TEXTO: "Ama a tu Dios... con toda tu mente" (Marcos 12:30)

I. CAMPO DE BATALLA: LOS PENSAMIENTOS.

1. Formas en las que le entregamos terreno al enemigo.

   (1) Una mente que no ha sido renovada (II Cor. 4:4; 3:14; Efe. 2:3; Col. 1:21).
        --habita en la oscuridad.
   (2) Una mente carnal (Romanos 8:6).
        --habita según la carne.
   (3) Por medio de mentiras y engaños
   (4) Por medio de la pasividad de la mente
        --"El permite que sus poderes de razonamiento se estacionen en estado de inercia y dá la bienvenida a cualquier pensamiento que se produzca en este estado inerte." Watchaman Nee
        --"Si el hombre no usa su inteligencia, Dios tampoco la vá a usar, pero los espíritus malignos sí van a hacer uso de esta. Esto requiere un cerebro en blanco y también una voluntad pasiva." Watchman Nee.

2. Tres características de los espíritus malignos.

   (1) "Sus pensamientos hacen la invasión desde afuera, entrando primordialmente por vía de la mente;
   (2) La fuerza de sus pensamientos empuja y coerciona al hombre para tomar acción inmediata;
   (3) Sus pensamientos confunden y paralizan la mente del hombre de manera que este no pueda pensar claramente." Watchman Nee.

II. ESTRATEGIA DE SATANAS: ENGAÑO Y PASIVIDAD.

1. Señales de engaño:
   (1) Una señal segura de engaño es un espíritu fanático (Santiago 3:15-17).
        --"Un espíritu fanático que procede del enemigo, está lleno de entusiasmo y de energía, pero el carácter de aquellos que tienen esta clase de espíritu, es dogmático, brusco, se niega a razonar, seguro de sí mismo. Esta clase de personas se niegan a escuchar a otros pues dicen que ellos están oyendo la voz de Dios." - - Michael Harper.
   (2) La revelación y la dirección que procedan de una mente pasiva están sujetas a engaños.
   (3) Concepto equivocado de la verdad:
        a. "Yo tengo la mente de Cristo". (I Cor. 2:16)
        Engaño: No debo tener una mente propia.
        --Verdad: Uno no puede poseer automáticamente la mente de

Cristo hasta que primero su mente sea renovada; segundo, que sea dirigido por el Espíritu Santo y tercero, que la Palabra de Dios more en él.

      b. "Dios me habla."
        --Engaño: Como soy dirigido por el Espíritu Santo, no necesito usar mi mente.
        --Verdad: Dios me habla a través de mi espíritu, y mi mente debe estar a tono con mi espíritu para poder comprender lo que Dios me dice.

    (4) Cuando la verdad no está en balance con otras verdades, esta se convierte en error.
      --Un sistema de enseñanza que ha sido formado alrededor de un aspecto de la verdad para llevarnos al errror.
    (5) Una señal segura de engaño es una mente cerrada a la luz de la verdad.
      a. Actitud: "Y todo lo tengo"
      b. Verdad: La ignorancia nos lleva al engaño. La mente va a permanecer en la oscuridad dependiendo hasta el punto en que la luz de la verdad penetre.
    (6) Engaño acerca de Dios.
    (7) Engaño acerca de sí mismo.

2. Síntomas que aparecen como resultado de la pasividad:
    (1) Iluminación repentina del pensamiento.
    (2) Cese repentino del pensamiento.
    (3) Pensamientos que están cautivos a causa de ciertos patrones de:
      a. Rechazo.
      b. Preocupación
      c. Miedo
    (4) Nociones absurdas.
      a. "Tú eres más espiritual que el resto."
      b. "Tu obra va a sacudir al mundo."
      c. "Debes lanzarte y vivir por fe."
    (5) Imaginación incontrolable.
    (6) Sueños.
    (7) Insomio.
    (8) Mente Olvidadiza
    (9) Falta de concentración
   (10) Pérdida de la habilidad para comunicarse.
   (11) Inhabilidad para razonar

III. LA SOLUCION QUE PRESENTA DIOS.

  1. Vestíos de la armadura de Dios (Efesios 6)

    (1) El yelmo de la salvación.
    (2) La coraza de la verdad
    (3) La espada del Espíritu

  2. El engaño es expulsado por medio de la verdad. PRINCIPIO: ¡La verdad os hará libres!

    (1) Discierna la fuente de los problemas y del sufrimiento.
    (2) Espere recibir la iluminación de la luz de Dios.

(3) Resista todas las mentiras.
(4) Venza, una por una, toda mentira y sus obras.
(5) Permita que la verdad penetre en cada área de su vida.

3. Renueve la mente.

(1) Examine la fuente de sus pensamientos.
(2) Haga que cada pensamiento se someta a la obediencia de Cristo (II Cor. 10:5).
(3) Una mente liberada de la carne (Romanos 8:7)
(4) El creyente es responsable de la renovación de su mente (Romanos 12:2).
(5) Permita que el arrepentimiento haga un trabajo perfecto.

4. La pasividad se vence al activar la mente.

(1) Tome la decisión.
   --Mi mente me pertenece y yo voy a hacer uso de ella. No voy a permitir que ninguna fuerza externa emplee o controle mi mente.
(2) Para ejercitar la mente, tome la iniciativa.
   --Tome la iniciativa en cada acción y no dependa de nadie más.
(3) Ejercite la mente por medio del pensamiento.
   --Comience a pensar, razonar, recordar y comprender.
(4) Determine el estado de la normalidad y luche hasta llegar al final

IV. CARACTERISTICAS DE UNA MENTE LIBRE.

1. Pensamientos que están sujetos a Jesucristo (II Cor. 10:5).

2. Una mente a tono con su espíritu (Romanos 8:6)

3. Una mente libre para:
   --Concentrarse.
   --Percibir
   --Recordar
   --Razonar
   --Comprender.

CONCLUSION: El tener una mente renovada es llegar a la más alta posibilidad que Dios ha ordenado para la mente del individuo.

V. TRES PRINCIPIOS DEL ESPIRITU.

1. "El Espíritu Santo revela la voluntad de Dios a nuestro espíritu, para que este pueda saber cual es.

2. Por medio de su mente, él puede comprender el significado de esta revelación.

3. Por medio de su voluntad, él compromete su fortaleza espiritual." Watchman Nee.

CONCLUSION: Para comprender completamente la voluntad de Dios se requiere
la cooperación del espíritu y de la mente.

VI. LEYES DE LA MENTE.

1. Lo que la mente se decida a hacer es lo que el hombre va a perseguir.

    (1) La cabeza del hombre obedece tanto a la carne como al espíritu.
    (2) El caminar en el espíritu quiere decir tener la mente fija en
         las cosas del espíritu.

2. El espíritu produce vida y paz. La carne produce muerte.

3. Todas las direcciones de Dios son transmitidas por medio del
    espíritu.

4. Las direcciones nos permiten la oportunidad de hacer una elección.

5. Una mente perturbada es dañina para la vida espiritual.
    (Isaías 26:3; Filipenses 4:6-8).

6. La mente no debe ser dirigida por las emociones (II Tim. 1:7).

7. La cabeza necesita mantenerse en un estado de humildad (Hechos 20:19).

8. La Palabra de Dios debe ponerse dentro de nuestra mente. (Hebreos 8:10)

9. La mente no debe operar independiente del espíritu. El espíritu es
    el que debe gobernar la mente.

CONCLUSION: Definitivamente, el crecimiento espiritual y la renovación de
la mente están conectados. La Escritura dice: "...renováos en
el espíritu de vuestra mente" (Efesios 4:23). Esta es una —
órden. La renovación se realiza a medida que usted permite que
la verdad de Dios empape todas y cada una de las partes de su
pensamiento. Are "su barbecho". (Oseas 10:12).

EL TERRENO DE LA VOLUNTAD.

INTRODUCCION: La voluntad del hombre es la esencia de lo que él es. El hace contínuamente decisiones que no solamente van a determinar su vida diaria, sino su destino eterno. El Creador le dió al hombre libre albedrío y nunca se mueve a la fuerza o por coerción, ni para controlar. La voluntad es aquello que está colocado entre el bien y el mal. Es la parte del hombre que cuando está unida a la voluntad de Dios, brinda una unión que va a producir armonía entre la criatura y el Creador y suelta por completo el poder de Dios en una salvación completa. Un hombre puede decirle no a Dios y Dios siempre va a respetar esa elección.

TEXTO: "..que no se haga mi voluntad sino la tuya." (Lucas 22:42).

I. EL POTENCIAL DE LA VOLUNTAD.

1. Definición

   (1) "Nosotros expresamos por medio de nuestras emociones la forma como nos sentimos, nuestra mente nos dice lo que nosotros pensamos y nuestra voluntad comunica lo que deseamos."

   (2) La voluntad del hombre es el órgano por medio del cual se toman las decisiones.
   --Dios creó al hombre con la capacidad de hacer decisiones.
   --Dios le dió al hombre libre albedrío.

   (3) La voluntad del hombre es su propio yo.
   --La elección que el hombre haga revela el carácter de este.

2. La vida espiritual comienza con una elección.

   (1) Uno escoge hacer la voluntad de Dios y que esta se convierta en nuestra propia voluntad y gusto.

   (2) La voluntad de Dios se convierte en la meta de nuestra vida en vez de nuestra persona..
   --El arrepentimiento quiere decir renunciación a una vida centrada en nosotros mismos.
   --La Salvación, entonces significa la liberación del hombre de su voluntad natural, animal, carnal, auto-emanada."
   Watchman Nee.

   (3) La vida espiritual significa algo más que las emociones y el - intelecto.
   --Dios busca la salvación de nuestra voluntad.

3. La unión espiritual se produce cuando la voluntad del hombre se une a la voluntad de Dios.

   (1) El producto de esta unión es la obediencia
   --La desobediencia significa seguir nuestra propia voluntad.
   --Tenemos que hacer cesar nuestras propias obras.

   (2) El producto de esta unión es un corazón.
   --Una armonía entre la voluntad de Dios y la del hombre.
   --Si fallamos en tener un corazón con Dios vamos a obtener un fracaso como en los casos de la mujer de Lot y de Balaam.

16

(3) Principio: No haga ninguna provisión para usted mismo (Mateo 10:38).

4. La voluntad es la que censura todos los pensamientos que proceden de la mente subconsciente.

    (1) Nuestra mente subconsciente es el depósito de las experiencias pasadas.
    (2) El enemigo usa el subconsciente para proyectar pensamientos a la mente consciente.
    (3) La voluntad recibe o rechaza estos pensamientos.
    (4) Satanás controla la voluntad cuando esta cesa de resisitirlo en esta área.
    (5) La renovación de la mente genera fuerza a la voluntad y libera del cautiverio.
    --Por medio de la renovación de la mente se elimina la fuente de la tentación. Jesús dijo: "mas no tiene nada en mí" - - (Juan 14:30).

II. EL CAUTIVERIO DE LA VOLUNTAD.

1. El engaño produce cautiverio en la voluntad del hombre.

    (1) "Cristo vive en mí" (Gálatas 2:20)

    Concepto errado: Yo no estoy vivo.
    Concepto correcto: Yo vivo por medio de la fe en el Hijo de Dios.
    Principio: Dios no requiere que nosotros desaparezcamos para que Su vida se manifieste.

    (2) "Estoy crucificado con Cristo" (Gálatas 2:20).
    Concepto errado: Estoy muerto y debo actuar como muerto.
    Concepto correcto: Yo morí con Cristo y ahora he resucitado para vivir por medio de Su vida.
    Principio: El propósito de Dios para el creyente no es muerte sino vida.

    (3) "Dios es el que obra en mí' (Filipenses 2:13).
    Concepto errado: Yo no actúo, solamente me rindo y Dios es quien actúa y trabaja.
    Concepto correcto: Como yo tengo en mí Su Poder, todo lo puedo en Cristo.
    Principio: Dios nunca deja a un lado la voluntad del hombre. Dios nunca requiere que el hombre deje todas sus actividades para que El pueda actuar.

    (4) "Aquellos que le obedecen (Espíritu Santo)" (Hechos 5:32).
    Concepto errado: Tengo que rendir todo mi ser al Espíritu invisible.
    Concepto correcto: Obedeceré a Dios el Padre por medio de Su Espíritu.
    Principio: El Espíritu Santo no piensa por medio de mi mente, ni siente por medio de mis emociones, ni decide por medio de mi voluntad. El Espíritu Santo guía por medio de impresiones divinas recibidas en el espíritu del hombre.

(5) "El amor de Dios..por medio del Espíritu Santo". (Romanos 5:5).
    Concepto errado: Yo no voy a amar. El Espíritu Santo les
         va a dar el amor de Dios.
    Concepto correcto: Yo los voy a amar en la forma como el -
         Espíritu Santo me muestre el amor de Dios.
    Principio: El amar es una decisión. Nosotros escogemos amar
         como Dios nos ha amado.

(6) "Dad gracias en todo" (I Tesalonicenses 5:18).
    Concepto errado: Acepto todas las circunstancias como si
         fueran la voluntad de Dios.
    Concepto correcto: Yo me someto a Dios en todas las circuns-
         tancias.
    Principio: La <u>sumisión</u> a Dios y la <u>resistencia</u> al mal tienen
         que trabajar juntas (Santiago 4:7)

(7) "Porque cuando soy débil, entonces soy fuerte".
    (II Corintios 12:10).
    Concepto errado: <u>Yo deseo</u> ser débil para así ser fuerte.
    Concepto correcto: El creyente no escoge la debilidad, el
         creyente débil debe tener la fortaleza de
         Dios.
    Principio: En cualquier estado en que usted se encuentre,
         Dios es suficiente.

(8) "Hágase Tu voluntad."
    Concepto errado: Yo no tengo que escoger, porque Dios es -
         quien ejerce Su voluntad sobre mí.
    Concepto correcto: Yo escojo hacer Su voluntad.
    Principio: Dios nunca sustituye la voluntad de El por la del
         hombre.

2. Pasos de la pasividad:

  (1) El creyente mismo cesa de ser activo.
  (2) Dios no puede usarlo porque su Voluntad ya no funciona
  (3) Los espíritus malignos toman ventaja de la pasividad.

3. Principios básicos que se deben distinguir:

  (1) "Dios quiere que el creyente coopere con El por medio del
     ejercicio de su voluntad y el uso de sus facultades para
     que éste sea lleno del Espíritu Santo.

  (2) Con el objeto de facilitar su trabajo, el espíritu maligno
     demanda que el creyente esté pasivo y se niegue a usar una
     o todas sus facultades." Watchman Nee.

4. Síntomas de pasividad:

  (1) Inercia--incapacidad para competir.
  (2) Inumerables tareas sin terminar
  (3) Incapacidad para concentrarse
  (4) Inercia física, acciones mecánicas'
  (5) Incapacidad para tomar decisiones iniciar actividades.

III. LIBERTAD DE LA VOLUNTAD.

1. El engaño sale al descubierto al <u>recibir la verdad.</u>
"Para que haya liberación de la pasividad es absolutamente

18

necesario que se conozca la verdad, sin esta la libertad es impo-
sible". Watchaman Nee.
- (1) Esté dispuesto a saber la verdad acerca de sí mismo.
  --Admita que uno es susceptible al engaño.
- (2) Admita las áreas de engaño.
- (3) Saque al descubierto el terreno que usted ha entregado al
  enemigo.
- (4) El grado de pasividad determina la penetración del enemigo.

2. Al <u>activar la voluntad</u> se rompe la pasividad.

- (1) Cuando se responde a la voluntad de Dios se activa la voluntad.
- (2) La voluntad se energiza por medio de la fe (La fe es siempre
  activa).
- (3) La voluntad se fortalece por medio de la verdad (La Verdad nos
  llama a la libertad).

3. Ejercite su voluntad <u>tomando decisiones</u>.

- (1) La persona pasiva no puede actuar por su propia voluntad
  (como un corcho en el mar).
- (2) Esté firme en sus decisiones y rompa la duda.
- (3) Este dispuesto a tomar decisiones aunque en algunas pueda
  equivocarse.
- (4) Acepte la responsabilidad de tomar decisiones.
- (5) Deje de permitir que las circunstancias lo guíen.
  --Algunas personas prefieren ser manejadas por las
  circunstancias en vez de tomar sus propias decisiones.
  --La persona pasiva supone que Dios tomará todas las
  decisiones por ella.

4. La <u>batalla</u> de la voluntad ("resista al diablo").

- (1) Opóngase a que el enemigo lo gobierne.
- (2) Recupere todo el terreno perdido.
- (3) Trabaje activamente con Dios para que usted use todas y
  cada una de las partes de su ser.

  Observación: "En el estado inicial del combate los síntomas se
  enpeoran como si entre más se peleara, menos fortaleza se sintiera...aunque el creyente se siente peor
  en realidad está mejor porque se demuestra que la resistencia tiene efecto: el enemigo ha sentido la
  presión y como consecuencia está haciendo sus últimos
  esfuerzos". Watchman Nee

5. La libertad está garantizada cuando la voluntad está <u>en control</u> del
espíritu, la mente y el cuerpo.

- (1) El espíritu necesita el control de la voluntad (Prov. 25:28).
- (2) La mente necesita estar sujeta a la voluntad (II Cor. 10:15).
- (3) El cuerpo debe ser el instrumento del hombre (I Cor. 9:27)

6. Para mantener la liberación en cualquier área de nuestra vida, es necesario que nuestra voluntad esté activa.

CONCLUSION: La estrategia del enemigo contra la voluntad es la pasividad.
Cuando esto sucede la persona se convierte en condescendiente
e inepta. La orden del Señor es "Poseed la Tierra."

"La lucha por un período de tiempo es bastante dolorosa.
Hay momentos de sufrimiento agudo y lucha intensa, que se producen al estar consciente de la resistencia que hacen los poderes de la oscuridad en su lucha por obtener lo que el creyente
reclama." Jesse Penn-Lewis.

POSEED LA TIERRA

SEGUNDA PARTE - EL TERRENO DE LAS EMOCIONES

INTRODUCCION

La intención primordial de Satanás es herir a cada persona que nace en este mundo. Este propósito se hace evidente a medida que vemos que estas heridas le dan a él lugar para hacer su trabajo destructor en la vida del individuo. La Escritura nos indica que estas heridas ponen a la persona en cautiverio, pero el trabajo de Cristo es "...sanar a los quebrantados de corazón". (Lucas 4:18) Jesucristo, que es el mismo, ayer, hoy y por los siglos vino a destruir la obra del enemigo.

Los niños inocentes, quienes son el blanco del enemigo, llevan consigo heridas a lo largo de sus vidas que nunca les permiten tener la libertad para ser lo que Dios quiere que sean. Los temores, la inseguridad, la amargura y el recha-zo son evidencia de esta obra del enemigo. La opresión del enemigo se mantiene viva hasta el momento en que sus obras son reveladas y destruídas.

El Cuerpo de Cristo sufre por las heridas producidas por Satanás. Las heridas lo mantienen dividido y permiten que el enemigo permanezca en la tierra. Las personas que están heridas tienen dificultad para formar parte de su cuerpo-- el miedo y la desconfianza las separan de los demás. El propósito primordial de la sanidad interior es que el Cuerpo de Cristo sea sano. A medida que el Cuerpo se va uniendo, la plenitud de la Cabeza va a surgir a través de cada - - miembro. Esta sección trata sobre las heridas y la manera de encontrar sanidad interior y la liberación del pasado.

LAS HERIDAS DE SATANAS

AREA PARA TOMAR POSESION: Las emociones.

INTRODUCCION: Nosotros somos el producto de la experiencia total de nuestra
vida. Nuestras experiencias pasadas determinan nuestras — —
reacciones a las situaciones presentes. Las heridas del pasado
pueden distorsionar la percepción del presente. En la medida
en que nosotros reaccionemos violentamente a un simple problema
podemos concluir que estamos atados al pasado y que no podemos
responder normalmente a las situaciones actuales.

TEXTO: "...a sanar a los quebrantados" (Lucas 4:18).

I. EL PROPOSITO DE SATANAS ES HERIR.

1. Fué profetizado desde el principio

"...Y pondré enemistad entre..tu simiente y la simiente suya....
esta te herirá en la cabeza y tú le herirás en el calcañar."
(Génesis 3:15).

2. Job experimentó las heridas de Satanás.

(1) Tumbado a lo más mínimo.
(2) Mal entendido por sus amigos.
(3) ¿Maltratado por Dios?

3. Jesús fué herido
"...El herido fué por nuestras rebeliones" (Isaías 53:3).
"...Jehová quiso quebrantarlo" (Isaías 53:10)

(1) Traicionado por un amigo íntimo.
(2) Rechazado (Isaías 53:2-3).
(3) Acusado (Mateo 12:24)
(4) Odiado
(5) Abandonado

CONCLUSION: "El castigo de nuestra paz fué sobre El, y por su llaga fuímos
nosotros curados (Isaías 53:5).

II. SATANAS SABE COMO INCAPACITAR A UNA PERSONA A TRAVES DE LAS HERIDAS.

1. El primer blanco de Satanás son los niños inocentes.

(1) Aún antes de nacer
(2) El miedo nos puede asaltar desde niños
(3) El rechazo nos puede asaltar desde niños.

CONCLUSION: El niño que ha sido rechazado va a crecer incapacitado para
amar y ser amado. Un niño del que se ha abusado se encerrará
en sí mismo debido al miedo, o se convertirá en destructivo —
debido a la rebelión.

2. Los <u>hijos de Dios</u> son los primeros blancos de Satanás.

    (1) Los nuevos creyentes llenos del Espíritu Santo son objeto de los ataques del enemigo por medio de la sospecha y el rechazo.

    (2) Las mentiras y divisiones afectan los distintos ministerios.
    --El objetivo con las heridas es causar una retirada.

CONCLUSION: Satanás hiere por medio de malos entendidos, falsas acusaciones, rechazo y miedo.

III. EL CAUTIVERIO DE LAS HERIDAS.

"...Despojémonos de todo <u>peso</u>...que nos asedia" (Hebreos 12:1).

1. Las heridas nos atan.

    (1) Las heridas nos atan <u>al que nos ha herido</u>.
    (2) Las heridas nos atan a la <u>amargura</u> producida por el golpe.
    (3) Las heridas nos atan de manera que no nos dejan ni <u>amar</u> ni recibir amor.

CONCLUSION: No es siempre el pecado el que causa que Satanás ocupe un lugar en nuestra vida.

2. Jesús vino a <u>liberar</u> a aquellos que están heridos.

    (1) Jesús vino a liberar a aquellos que están <u>cautivos interior-mente</u>.
    (2) Por medio de los principios espirituales se rompe el cautiverio espiritual.
    --Los principios espirituales referentes a la liberación y sanidad interior son discutidos más adelante.
    (3) La Cabeza del Cuerpo desea ser el Sanador del Cuerpo.

CONCLUSION: El peso y la atadura producidos por las heridas impíden el crecimiento del cristiano y de su ministerio.

HERIDO Y AMARGADO.

INTRODUCCION: Fué una gran tragedia para las tribus del norte de Israel, el que se hubieran separado de las tribus del sur y que como resultado hubiera habido guerra entre hermanos. La misma estrategia para separar y destruír es la que usa el enemigo hoy en día. La amargura ha sido una arma grandemente usada por el enemigo para la destrucción de la Iglesia debido a que los hermanos en Cristo abandonaron los principios de amor y perdón.

La amargura trabaja después de que la persona ha sido herida, en la misma forma en que una manzana cuando se cae del árbol y se maltrata no se le nota el daño sino después de muchos días y después que aparece la mancha oscura, ésta se convierte en daño y se pudre.

TEXTO: "Mirad bien, no sea que alguno deje de alcanzar la gracia de Dios; que brotando alguna amargura estorbe y por ella muchos sean contaminados." (Hebreos 12:15).

TESIS: A causa de la amargura del enemigo habita en la tierra.

I. AMARGURA - EL VENENO DEL ALMA.

1. La amargura se deriva de las heridas.

   (1) Heridas causadas por relaciones entre padres e hijos.
   (2) Heridas causadas por relaciones entre esposos.

CONCLUSION: Las heridas más hondas provienen de aquellos que están más cerca de nosotros.

2. La amargura causa daños en todo nuestro ser.

   (1) Se deja relucir a través de nuestra conversación.
   (2) La vemos en nuestras acciones.
   (3) La revelamos en nuestras actitudes.
   (4) Causa trastornos en nuestra salud física.

3. La amargura causa daño a los demás.

4. La amargura forma paredes que nos aislan de otros, como son:

   (1) El temor de ser heridos aún más.
   (2) El temor y la desconfianza hacia la gente.
   (3) El temor de que nuestras heridas interiores y nuestras debilidades salgan al descubierto.
   (4) Soledad.

5. La amargura siempre trae como resultado el rompimiento de relaciones.

   (1) Cortamos gente de nuestra vida.
   (2) Tenemos una actitud muy crítica acerca de otros.

24.

II. DAÑO CAUSADO POR EL ROMPIMIENTO DE RELACIONES.

1. El rompimiento de relaciones nos causa ceguera (I Juan 2:9-11)

    (1) La ceguera no nos permite actuar con sabiduría.
    (2) La ceguera no nos permite vernos a nosotros mismos.
    (3) La ceguera no nos permite ver a otros como son en realidad.

2. Las relaciones rotas causan insensibilidad.

    (1) La vida se centra alrededor de uno mismo
    (2) No hay una preocupación sincera por las necesidades de otros.

3. El rompimiento de relaciones causa inmadurez.

    (1) En el momento en que ocurre la herida el crecimiento emocional
        se detiene.
        --La personalidad no madura al mismo tiempo que el cuerpo.
    (2) El crecimiento emocional se reanuda cuando la liberación y la
        sanidad interior se llevan a cabo.

III. LA DESTRUCCION CAUSADA POR LA FALTA DE PERDON.

1 El resentimiento se convierte en amargura.
2. La culpa se convierte en odio.
3. El engaño se convierte en perversión.

CONCLUSION: La amargura es "el semillero" de todo trabajo del demonio.
             Esta es la causante de la destrucción de los cristianos.
             Para evitar esto, tenemos que vivir en un espíritu de perdón
             continuamente. Cuando Satanás viene con una herida, no la
             reciba, inmediatamente libérese de ésta por medio del perdón.

LIBERACION DE LAS HERIDAS.

INTRODUCCION: Muchos cristianos son atormentados por el enemigo, por su falta de perdón. La falta de perdón le da al enemigo una entrada para que él se mueva orpimiendo y atormentando. La amargura es causada por falta de perdón. Si el cristiano camina sin perdonar, Satanás no lo respeta.

TEXTO: "Perdonad y seréis perdonados" (Lucas 6:37).

TESIS: La clave para la liberación de la amargura es el perdón.

I. UNA DEFINICION DEL PERDON.

"...le solto y le perdonó la deuda" (Mateo 18:27).

1. Apoluo

    (1) Poner en libertad, liberar a alguien de alguna cosa.
    --Ejemplo: "...mujer, libre eres de tu enfermedad." (Lucas 13:12).
    (2) Dejar ir, soltar.a alguien como cuando se libera a un preso.
    --Ejemplo: "El Señor movido a misericordia... le soltó y le perdonó la deuda". (Mateo 18:27)
    (3) Usado en divorcio.
    --Ejemplo: "...quiso dejarla...." (Lucas 1:19).

2. Aphiami

    (1) Dejar ir, enviar lejos.
    --Ejemplo: "Entonces despedida la gente..." (Mateo 13:36).

    (2) Cancelar, remitir, perdonar.
    --Ejemplo: "el señor de aquel siervo...le perdonó la deuda (Mateo 18:27)

II. EL PERDON PRODUCE LA LIBERACION DE LAS HERIDAS DEL PASADO

1. Una persona que lleva consigo las heridas, está atada al pasado.

    (1) No puede vivir en el presente.
    (2) La amargura del pasado inunda las relaciones del presente.

2. El individuo que lleva consigo sus heridas está cautivo con las gentes del pasado.

    (1) A través de la falta de perdón usted puede retener a otra persona en su pecado. (Juan 20:22-23).
    (2) Si retenemos el pecado de otro, nos igualamos a él.
    PRINCIPIO: Perdona y te pareceras a Dios; retén y te pareceras al que te hirió.

      (3) El correr del tiempo no cambia la falta de perdón.

   3. El que lleva consigo la herida es <u>atormentado</u>.
      --Ejemplo: Un siervo que se niega a perdonar (Mateo 18:21-35)

      (1) Llamado siervo malvado. (Mateo 18:32).
      (2) ¿Cómo debe ser nuestra actitud hacia otros a la luz de la misericordia de Dios?
      (3) Después del perdón viene la oración de liberación.
      --Modelo de oración: "...líbranos del mal..." (Mateo 6:9-13).

III. EL PERDON SUELTA A DIOS.

   1. El perdón suelta a Dios para perdonarlo a <u>usted también</u>.
      Mateo 6:14-15; Marcos 11:23-26).

      (1) Un pecado que no ha sido perdonado da lugar a que entre Satanás.
      (2) La redención es co-existente con el perdón. (Efesios 1:7).

   2. El perdón suelta a Dios para perdonar a otros.
      "Lo que desatais en la tierra..." (Mateo 18:18).

   3. "Si dos de vosotros se pusieren <u>de acuerdo</u>..." (Mateo 18:19-20).

   4. El perdón suelta a Dios para <u>sanarlo</u> a usted.

      (1) Algunos quiza tengan que perdonarse a sí mismos.
      (2) Otros quiza tengan que soltar a Dios.

CONCLUSION:

   1. El perdón es un acto de voluntad: Usted <u>escoge</u> perdonar. El sentimiento vendrá más tarde. A medida que usted suelta a la persona, Dios suelta la herida y la sanidad se lleva a cabo.

   2. Sea como Dios. ¡PERDONE!

      (1) Enumere las relaciones que no fueron buenas en el pasado.
      (2) Haga un análisis para encontrar la razón.
      (3) Trate con cada relación y libere a la persona por medio del perdón.
      (4) Usted necesita pedirle perdón a la persona por haber tenido una actitud de falta de perdón.

LA HERIDA CAUSADA POR EL RECHAZO.

INTRODUCCION: El hombre fué creado a la imagen y semejanza de Dios. Sus necesidades básicas se satisfacen por medio del amor y la comunicación
El rechazo causa que el individuo no pueda recibir amor, seguridad, aceptación, identidad y reconocimiento. No se encuentra
capacitado ya ni para amar ni para recibir amor. El resultado es
la incapacidad y la destrucción de la persona en total. Nota:
Los efectos se reciben en proporción al grado de rechazo que reciba la persona,(en proporción al grado de rechazo que reciba la
persona)

TEXTO: ¿Quién ha creído a nuestro anuncio? ¿y sobre quién se ha manifes-
tado el brazo de Jehová? subirá cual renuevo delante de él, y
como raíz de tierra seca; no hay parecer en él, ni hermosura; le
veremos, mas sin atractivo para que le deseemos. Despreciado
y desechado entre los hombres, varón de dolores, experimentado
en quebranto; y como que escondimos de él el rostro, fue menos-
preciado, y no lo estimamos. (Isaías 53:1-3).

TESIS: El rechazo es una herida profunda que causa la destrucción
total del individuo.

I. LA FUENTE DEL RECHAZO.

   1. Relaciones entre padres e hijos.

      (1) Antes del Nacimiento.
      (2) Niños adoptados.
      (3) Padres que no tienen la capacidad para comunicar su amor.
          a. Padres que han sufrido de rechazo
          b. Padres alcohólicos
          c. Substitución de regalos en vez de dar amor.
          d. Preocupados
          e. Críticas (requiriendo perfección en los hijos)
          f. Metas que los padres presentan para los hijos (compensación).

CONCLUSION: --Un niño que no ha sido amado por sus padres tendrá dificultad
            para formar una relación estable con Dios el Padre.
            --Un niño que ha sido educado en medio del rechazo va a aceptar
            el rechazo en vez del amor de Dios.
            --La imagen que el niño percibe en sus padres va a ser el modelo
            en el cual él va a formar su relación con Dios.

   2. Relaciones con los compañeros

      (1) Comentarios crueles
      (2) Grupos que lo excluyen
      (3) Falta de logros.

   3. Sociedad.

      --El rechazo se produce cuando se falla en aceptar ciertos valores
      sociales.

4. Relación con Dios

    (1) A causa del pecado el hombre es suceptible al rechazo.
    (2) Culpabilidad por el pecado nos produce auto-rechazo.
    --Adán y Eva en el Jardín de Edén se vistieron con hojas de parra.
    (3) Debido al sentido de culpabilidad es más fácil para el hombre sentirse rechazado que amado.

CONCLUSION: El rechazo es la forma de vivir del pecador.

II. RESULTADOS DEL RECHAZO

1. Inmadurez Emocional.

    (1) En la pareja que empieza un matrimonio, siempre existe un - pequeño niño y una pequeña niña.
    (2) Una niña que no ha recibido amor de parte de su padre, va a buscar ese amor en el matrimonio.
    (3) Para la madurez emocional se necesita que haya amor, aceptación y aprobación.

2. Un vacío de amor.

    (1) Ninguna persona puede llenar ese vacío (amigos, familia, etc.)
    Ejemplo: Un vacío de amor en el matrimonio (Prov. 30:23)
    a. La persona es consentida (absorbe la vida de él)
    b. La persona es adorada (se convierte en el centro de la vida y la manipula).
    c. La persona es odiada (se esclaviza)

CONCLUSION: El vacío en el amor es el resultado al que llegará una persona que haya tenido una historia de relaciones rotas.

    (2) Ni las cosas ni las metas pueden llenar este vacío.
    a. Las posesiones indican éxito.
    b. La carrera causa aceptación.
    c. El intelectualismo produce reconocimiento.

CONCLUSION: Una dedicación extrema puede indicar un vacío interior.

    (3) La persona se centra totalmente en sí misma.
    a. Placer - auto-gratificación.
    b. Sexo - Lujuria y perversión.
    c. Religión - imagen de salvador.

CONCLUSION: El propio yo es un dios cruel que nunca se satisface.

3. Soledad y miedo.

    (1) Son paredes formadas con el objeto de protegernos de las heridas.
    --Internamente son personas llenas de inseguridad, soledad, miedo, auto-compasión y vanidad.
    --Externamente la persona se vuelve ya sea competitiva o enfrascada en si misma.

(2) Dominado por el temor al rechazo.

4. Rechazo de sí mismo.

    (1) Pérdida del valor de sí mismo.
      --Uno acepta que el rechazo de otros es una indicación de la -
      falta de valor propio.
    (2) Una imágen propia que es negativa.
      --El compararnos con otros es siempre un error (II Corintios 12:10)
    (3) La crítica tiene dos actitudes.
      --Crítica de sí mismo
      --Crítica de otros (Mateo 7:3)

5. Pérdida de la propia identidad.

    (1) El rechazo destruye en la persona su propia identidad.
    (2) Los adolescentes buscan identificarse con miembros de su grupo.
    (3) Los adultos buscan identificarse con una profesión, iglesia, club
      etc.

CONCLUSION: El hombre fué hecho a la imágen de Dios y solamente en
           El puede encontrar su identidad. Dios puede dar al individuo
           una imagen propia nueva.

6. Una relación inestable con Dios.

    (1) Mientras exista el rechazo, el individuo no puede entrar a tener
      una relación con Dios.
      a. Tiende a colocar su relación con Dios basándose en las
          obras.
      b. Un substituto del amor es "mantenerse ocupado" (Actividades).

    (2) El rechazo mina la fe.

CONCLUSION: Una relación inestable con Dios puede muy bien ser una indicación
           de un problema de rechazo.

7. La falta de capacidad para amar y ser amado es una señal segura del
   rechazo.

III. PASOS A SEGUIR PARA SALIR DEL RECHAZO.

1. Perdone a aquellas personas que lo han rechazado.

2. Entregue todo el rechazo a Cristo (Isaías 53:3)

    (1) Jesús soporto el rechazo de parte de los hombres.
    (2) Jesús soportó el rechazo de parte de Dios.
    (3) Promesa: Isaías 54:4-6, y Jeremías 30:17.

3. Acepte el hecho que usted es aceptado en el Amado (Efe. 1:6).

4. Encuentre su propia identidad en Cristo.

    (1) Su "imagen" (II Cor. 3:18).
    (2) "Hechura suya" (Ef. 2:10).
    (3) "Nueva Creación" (II Cor. 5:17)

5. Acéptese a sí mismo

    (1) Perdónese por los errores del pasado.
    (2) Por medio de la aceptación del amor del Padre.

6. Reclame su liberación y reciba sanidad interior.

CONCLUSION: Por medio del ministerio de la liberación se cortan las raíces del rechazo. El cautiverio y la opresión deben romperse así como las mentiras del engaño. Definitivamente los poderes demoniacos trabajan en esta área. Recuerde, en Dios no hay rechazo.

HERIDO Y SANADO.

INTRODUCCION: El Espíritu Santo está preparando a la Esposa (Iglesia) para
                el Esposo (Cristo). El ministerio de sanidad interior es el
                embellecimiento de la Esposa. El Espíritu está deseoso de -
                quitar todas las "manchas y arrugas" y de reunir a la Iglesia
                completa en un Cuerpo. Yo veo como el ministerio de la sani-
                dad interior puede ir permitiendo que cada coyuntura se una
                con las demás y que todas ellas esten cubiertas por un vendaje
                de amor y de paz. La Iglesia debe recibir esta obra unificado-
                ra y embellecedora. La entrada del ministerio de sanidad in-
                terior indica que la venida del Señor esta próxima.

TEXTO: "Examíname, Oh Dios...y vé si hay en mi camino de perversidad."
                (Salmo 139:23-24).
                "Me ha enviado a vendar a los quebrantados de corazón...a
                ordenar que a los afligidos de Sion se les de gloria en lugar
                de ceniza, oleo de gozo en lugar de luto, manto de alegría en
                lugar del espíritu angustiado."   (Isaías 61:1 y 3).

I PROPOSITO DE LA SANIDAD INTERIOR.

1. El embellecimiento de la Esposa.
    "...a fín de presentársela a sí mismo, una iglesia gloriosa, que no
    tuviese ni mancha ni arruga ni cosa semejante, sino que fuese Santa y
    sin mancha". (Ef. 5:27)

    (1) Cristo se dió a Sí mismo por la Iglesia para:
         a. Santificarla y limpiarla (Efesios 5:26)
         b. Para tener para Sí mismo una Iglesia gloriosa.
    (2) Una Iglesia sin mancha ni arruga.
         Manchas: una mancha en el cuerpo es una mácula, es algo sucio.
         Arrugas: arrugas debido a la edad.
         a. Cristo quiere que Su Iglesia no tenga heridas (manchas)
         b. Cristo quiere que Su Iglesia esté liberada del pasado
             (arrugas).
    (3) Una Iglesia limpia de toda Corrupción o Contaminación.
         "Limpiémonos de toda contaminación...de espíritu (II Corintios 7:1)
    (4) Una Esposa que es totalmente madura
         "Hasta que todos lleguemos..a un varon Perfecto" (Efesios 4:13-15)
         a. Un cristiano maduro recibe la plenitud de Cristo.
         b. La falta de madurez hace al hombre vulnerable para el engaño
             y para ser dominado por otros hombres.
         c. El crecimiento viene cuando "hablamos la Verdad en amor"

2. La unificación de la Iglesia.
    "De quien todo el cuerpo, bien concertado y unido entre sí por todas
    las coyunturas que se ayudan mutuamente, según la actividad propia de
    cada miembro, recíbe su crecimiento para ir edificándose en amor
    (Efesios 4:16).

    (1) Las paredes causadas por el miedo y el rechazo tienen que ser
         derribadas.
    (2) Los miembros deben estar capacitados para relacionarse con otros
         miembros del cuerpo.

(3) Para poder recibir la plenitud de la Cabeza, el cuerpo debe estar unido con todos y cada uno de los miembros.

(4) El amor debe fluir de un miembro a otro del cuerpo como agente unificador.

II. LA CLAVE PARA OBTENER LA SANIDAD INTERIOR.

"...olvidando ciertamente lo que queda atrás" (Filipenses 3:13)

1. El perdón nos libera del pasado.

   (1) Se sueltan las heridas
   (2) La gente es soltada
   (3) Nosotros somos liberados.

2. Permita que Jesús sea quien sane sus heridas del pasado.

   (1) Jesucristo trasciende el tiempo (Hebreos 13:8).
   (2) Las heridas se sanan cuando permitimos que Su presencia toque ciertos eventos del pasado.
   (3) El rechazo y la soledad causados por las heridas del pasado, desaparecen cuando permitimos que el amor del Señor Jesucristo nos toque a lo largo del tiempo

3. La sanidad interior no borra las memorias del pasado, pero sí nos quita los dolores que haya en esas memorias.

III. LA META DE LA SANIDAD INTERIOR ES LA PAZ

"Y el Dios de paz aplastará en breve a Satanás bajo vuestros pies"
Romanos 16:20

1. Paz con nosotros mismos.

2. Paz con otros.

3. Paz con Dios.

IV. LA SUBSTANCIA DE LA SANIDAD INTERIOR

1. La presencia del Señor en la experiencia.
   (1) Cuando la persona sufre sola, se forma una herida profunda.
   (2) Cuando la persona sufre sola, vienen como producto, el rechazo, la soledad y la inseguridad.
   (3) La presencia de Jesús causa liberación inmediata

2. El amor del Señor en la experiencia.

   (1) Es necesario que la persona se vea amada por el Señor en el momento de su sufrimiento.
   (2) El amor es más fuerte que el dolor.
   (3) La sanidad se lleva a cabo cuando se invoca la presencia y el amor del Señor a que se hagan presentes en la experiencia.

V. LOS PASOS PARA LA SANIDAD INTERIOR.

1. Escuche.

(1) Localice los problemas.
(2) Haga distinción entre los problemas superficiales y los
      que tienen raíces.
      a. Los problemas superficiales envuelven un incidente que esta –
          lleno de culpabilidad, miedo, etc.
      b. Los problemas que tienen raíces envuelven muchos recuerdos
          que nos perturban y que se han formado sobre una raíz.

2. Suelte el pasado.

(1) Por medio del perdón.
(2) Permitiendo que Jesús camine a través de su pasado.
      a. Hagase como niño (Mateo 18:3).
      b. Haga que otro ore con usted (Mateo 18:19)
      c. Permita que Dios haga uso de la imaginación suya.
      d. Recuerde que El sufrió en sus llagas por usted (I Pedro 2:24).

3. Rompa las ataduras de Satanás.

(1) El trabajo de Satanás está pegado a las raíces.

(2) Su presencia y poder tienen que desaparecer.

ATENCION!

1. La sanidad interior no consiste en desenterrar toda la basura
    del pasado.
2. No sistematice la obra del Espíritu Santo.
3. No se envuelva en exámenes interiores detallados.
4. El Ministerio de la sanidad interior es del Señor, y debemos
    estar sensitivos a la obra que El está llevando a cabo.
5. No empuje ni presione a la persona. Ella necesita una fé su-
    ficientemente fuerte para hacer cara a la realidad de un –
    recuerdo doloroso.

POSEED LA TIERRA

TERCERA PARTE - RAICES EN LA TIERRA

INTRODUCCION.

En general cuando tratamos con las obras del enemigo, nos vamos a encontrar
con que hay raíces muy hondas dentro de la vida del individuo. Prendidos a
estas raíces hay muchos problemas que van a crecer y a desarrollarse. Para
poder encontrar la solución a los problemas tenemos que ir más allá del problema y encontrar la fuente del crecimiento de este. Al encontrar la raíz
"Pongamos el hacha a la raíz del árbol", y el árbol va a morir por completo.
Muchas veces quitamos solamente algunas hojas o algunas ramas en vez de irnos
directamente a la raíz del problema.

Las obras de Satanás están adheridas a las raíces que crecen en la tierra.
Estas raíces absorben la vida y bendiciones de manera que nada pueda crecer
Ya hemos presentado dos de las raíces que destruyen la tierra--la raíz de
la amargura y la del rechazo.

En esta sección, vamos a descubrir tres raíces más: la raíz de la rebelión,
la raíz del orgullo, y la raíz del ocultismo. Usted va a poder ver el fruto
producido por estas raíces y como usar el hacha para cortar a cada uno de -
ellas. Aquello que envenena la tierra debe ser destruido de modo que usted
pueda poseer la tierra y producir fruto.

LA RAIZ DE LA REBELION

INTRODUCCION: Dios creó al hombre a Su propia imagen y semejanza. Dios planeó una relación divina para con el hombre. La relación divina se rompió a causa del pecado y la rebelión se convirtió en la naturaleza del hombre. El hombre que no posee esta relación divina, se convierte en un individuo fraccionado, perdido, que vive en la soledad y el egoísmo. El propósito y razón de la vida se han perdido, por consiguiente él está perdido. La salvación comienza en la rebelión del hombre, cuando este se entrega a Dios aceptando el señorío de Su Hijo.

TEXTO: "porque como pecado de adivinación es la rebelión, y como ídolos e idolatría es la obstinación. Porque cuanto tú - desechaste la palabra de Jehová, él también te ha desechado para que no séas rey" (I Samuel 15:23).

I. FUENTES DE REBELION

    1. Orgullo, soberbia - engaño
       --Ejemplo: Lucifer se rebeló a Dios como consecuencia de su orgullo. (Isaías 14:13-14).

    2. Amargura.

    3. Pasos que llevan a la rebelión.

       (1) Las heridas llevan al resentimiento.
       (2) El resentimiento lleva a la amargura.
       (3) La amargura lleva al odio
       (4) El odio lleva a la rebelión.

II. LA REBELION RECHAZA LA AUTORIDAD.

    1. La rebelión rechaza la autoridad de Dios.

       (1) El estado de impiedad consiste en vivir como si Dios no existiera.
       (2) Debido a la rebelión el hombre se convierte en su propia autoridad. Pregunta: ¿Está usted dispuesto a someterse a la Palabra de Dios?

    2. La rebelión rechaza la autoridad de los padres y del gobierno.

       (1) Para que el niño obtenga madurez y seguridad debe ser disciplinado.
       (2) La autoridad del gobierno es necesaria para que haya justicia social y órden (Efesios 6:1-3).

CONCLUSION: Estas áreas deben ser tratadas para poder llegar a las raíces de la rebelión.
El humanismo consiste en la negación del hombre a someterse a su Dios.

III. LA REBELION A LAS AUTORIDADES DA COMO RESULTADO QUE EL CUERPO SEA EL QUE GOBIERNE A LA PERSONA.

1. Una persona que se rebela contra las autoridades se convierte en esclava de su propio cuerpo.
    --En ciertos problemas sexuales, la raíz de la rebelión general mente se remonta hasta la autoridad de los padres.
2. --El que el hombre sea entregado a la carne, es el resultado del juicio de Dios sobre la rebelión del hombre.
    --La carne siempre es hostíl hacia Dios (Romanos 8:6-7)
    --Los frutos de la rebelión son las obras de la carne (Gal. 5:19-21).

IV. LA REBELION LLEVA A LA HECHICERIA.

--Ejemplo: El razonamiento de Saúl se hizo superior a la Palabra de Dios. (I Samuel 15:23).

1. La hechicería consiste en asumir el papel de Dios.

    (1) Un deseo de manipular y controlar a la gente.
    (2) Un deseo de venganza por medio del maleficio.
    (3) Un deseo de obtener poder.

2. La hechicería es insubordinación.

    (1) El individuo se convierte en su propia autoridad.
    (2) La ambición del hombre se convierte en el poder que lo gobierna.

V. LA ESQUIZOFRENIA EN LA PERSONALIDAD ES PRODUCIDA POR DOS RAICES--
    LA REBELION Y EL RECHAZO (Schiezein: dividir, partir. Phren: mente).

1. El rechazo hace que la persona se vuelva introvertida.
    --La soledad, timidez, pusilanimidad
    --Autocompasión
    --Fantasía
    --Lujuria
    --Inseguridad
    --Odio de sí mismo, rechazo de sí mismo, imagen negativa de sí mismo.
    --Miedo al rechazo
    --Celos, envidia
    --Depresión y suicidio

2. La rebelión hace que la persona se vuelva extrovertida

    --Odio, violencia, asesinato
    --Amargura y falta de perdón
    --Control, posesividad, hechicería
    --Auto-engaño, auto-decepción
    --Perversión

CONCLUSION:
1. La esquizofrenia (doble personalidad) es un comportamiento que va de un extremo a otro. Ensimismado, o introvertido, luego hostíl, Los síntomas arriba mencionados siguen a cada raíz.
2. La persona esquizofrénica pierde su identidad y se esconde detrás de una u otra raíz.
3. La liberación envuelve el tratamiento de estas dos raíces y - - además debe traerse a la persona a que se identifique con Cristo y que El sea su protección (I Corintios 6:17)
4. El encontrar la identidad es la clave para mantener la liberación

RAIZ DE LA SOBERBIA

INTRODUCCION: La soberbia es la actitud del corazón del hombre que determina la dirección de su vida. La soberbia se encuentra en el corazón mismo de la maldad y del engaño. Respecto a los pasos en la caida de Lucifer la Escritura nos dice:
"Se enalteció su corazón a causa de tu hermosura; corrompiste tu sabiduría a causa de tu resplandor..." (Ezequiel 28:17).

TEXTO: "Tú que decías en tu corazón: Subiré al cielo; en lo alto, junto a las estrellas de Dios levantaré mi trono, y en el monte del testimonio me sentaré, a los lados del norte; - - Sobre las alturas de las nubes subiré, y seré semejante al Altísimo." (Isaías 14:13-14)

PRINCIPIO: El crecimiento del árbol es determinado por su raíz.

1. LA SOBERBIA TIENE SU FUERZA Y PODER EN UN PODER ESPIRITUAL.

1. El dios de este mundo cayó debido a la soberbia (Isa. 14:13-14).

2. El mundo opera bajo un principio de soberbia (I Juan 2:15-16)

3. La soberbia es la raíz de todo pecado y de todo mal.

CONCLUSION: Mientras que la soberbia tiene sus raíces dentro del espíritu - de ésta era, la humildad es la esencia de Jesucristo. La soberbia tiene que cambiarse en humildad.

II. EL PERFECCIONISMO ES FRUTO DE LA SOBERBIA.

1. Definición: Una persona que establece normas o metas para sí misma que son superiores a los requerimientos normales. Al obtener estas metas, la persona se coloca en una posición superior a otros y por consiguiente se convierte en un crítico de aquellos que no aceptan las mismas normas o metas.

2. Descripción: La falta de amor, la indiferencia a las necesidades de otros, el juzgar con demasiada rapidez, la falta de sensibilidad, las palabras crueles y la critica son características del perfeccionismo.

3. Los resultados del perfeccionismo son:
   (1) Una actitud hostil hacia otros, y hacia sí mismo y que da por resultado un carácter severo.
   (2) Un espíritu demasiado crítico.
   (3) Falta de perdón.
   (4) Auto-justificación.
   (5) Una relación pobre para con Dios.
   (6) Se transmite el rechazo a los hijos.
       --A menos que su aceptación sea basada en logros el niño no se siente aceptado.

4. El perfeccionista mira a Dios como un perfeccionista.

    (1) La relación con Dios se basará en logros. Establecerá metas altas para sí mismo.
    (2) Recibe la aceptación de Dios basándose en obras.
    (3) Su vida está llena de obras pero en realidad no existe una relación con Dios.

CONCLUSION: La soberbia hace que el hombre piense que el puede complacer Nuestra relación con Dios no puede ser establecida por medio de nuestras obras, sino solamente por Su Gracia. El nos acepta tal y como somos. Este es el punto de arranque.

III. UN FRUTO DE LA SOBERBIA ES LA COMPETENCIA

1. Definición: Una lucha constante por sobresalir --de ser el primero-- de ser mejor--de recibir reconocimiento.

2. Descripción: Una persona egoísta, voluntariosa, ambiciosa, envidiosa, que se exhalta a sí mismo

3. Los resultados de la competencia son:
    (1) Enemistad entre los hombres (Gálatas 5:26; 6:3)
    (2) Compararse constantemente uno mismo con otros (II Cor.10:12)
    (3) Descontento con la vida y con los logros alcanzados en el pasado.
    (4) Celos y envidia.

CONCLUSION: La soberbia es una raíz que nunca esta satisfecha. La lucha - constante con Dios y con el hombre producen un espíritu de - competencia que absorbe una vida y no le permite funcionar en el papel ni en el llamado que el individuo tenga.

IV. LA FALTA DE PERDON ES UN FRUTO DE LA SOBERBIA.

1. Descripción: Una persona amargada, quisquillosa, que no perdona, iracunda, enajenada.

2. Los resultados de la falta de perdón son:
    (1) La culpabilidad y la condenación
    --No puede soltar a otros, y Dios no lo puede soltar (perdón).
    --No se puede perdonar a sí mismo por los errores del pasado. No puede recibir el perdón de Dios. Nota: La soberbia no permite que la persona se perdone a sí misma por haber quebrantado la imágen de superioridad que se ha formado.
    (2) La Ceguera y el engaño.
    --Fallar en verse como en realidad es.
    --Fallar en ver a otros como en realidad son.
    (3) La amargura y el odio.

CONCLUSION: La soberbia produce un sentido falso de justicia cuando tengo que vindicar al yo. La soberbia pide retribución en vez de perdón.

V. UN FRUTO DE LA SOBERBIA ES LA INCREDULIDAD.

1. Definición: La soberbia por naturaleza se caracteriza por la independencia y la auto-suficiencia. Para poder ceer el individuo tiene que reconocer que tiene una necesidad, una deficiencia, una limitación Así que la incredulidad busca establecer su independencia y auto-suficiencia de manera que no se necesite a nadie más. La soberbia es la raíz de la incredulidad.

2. Uno no puede creer en Dios y al mismo tiempo buscar la gloria de los hombres (Juan 5:44).

(1) La soberbia desea la gloria de los hombres
(2) La fe desea la gloria de Dios.

3. La soberbia busca por sí misma poseer las bendiciones de Dios caracterizándose por:

(1) La lucha con Dios (Salmo 46:10)
(2) El uso de principios de fe para obtener metas personales, en vez de buscar la voluntad de Dios para su vida.
(3) El negarse a buscar la voluntad y el placer de Dios en su propia vida.

4. La fe y la humildad tienen la misma raíz.

(1) La humildad prepara el alma para la confianza.
(2) Ejemplo de fe y de humildad:
--Centurión: "Yo no soy digno"
--La mujer gentil: "Los perrillos comen las migajas."

CONCLUSION: La fe no crece como producto de la raíz de la soberbia.

VI. COMO CORTAR LA RAIZ DE LA SOBERBIA.

1. Pedir a Dios que le muestre el engaño de la soberbia.
2. Arrepentimiento.
3. Soltar los engaños de la soberbia
4. Cambiar la motivación de su vida de la soberbia, al amor.
5. Humillarse ante Dios.

CONCLUSION: La soberbia es la raíz de todo pecado y de todo mal. La raíz de toda virtud es la humildad. La soberbia nos empuja hacia arriba, el rechazo nos empuja hacia abajo. Nosotros debemos liberarnos de ambos y dejar que Dios sea el que nos exalte.

RAIZ DEL OCULTISMO

INTRODUCCION: Hay ciertas cosas en las que la gente se envuelve que no
solamente los afecta sino que afectan aún a sus generaciones futuras. El ocultismo es una raíz que se puede extender hasta la tercera y cuarta generación y cuyas con-
secuencias son severas. Al lidiar con los problemas de
la gente uno tiene que estar alerta de sus síntomas --aún
los niños inocentes sufren por esto.

TEXTO: "Cuando entres a la tierra que Jehová tu Dios te dá, no -
aprenderás a hacer según las abominaciones de aquellas naciones. No sea hallado en tí quien haga psar a su hijo o hija
por el fuego, ni quien practique adivinación o agorero,
ni sortílegio, ni hechicero, ni encantador, ni adivino,
ni mago, ni quien consulte a los muertos, porque es abominación para con Jehová, cualquiera que hace estas cosas,
y por estas abominaciones Jehova tu Dios echa estas naciones
delante de tí." Deuteronomio 18:9-12).

TESIS: El envolvimiento con el ocultismo le dá a Satanás derechos
legales sobre el individuo. Tanto los dones espirituales
del ocultismo como las maldiciones se pasan de generación
a generación.

I. LA IDOLATRIA Y EL OCULTISMO PROCEDEN DE LA MISMA RAIZ.

1. La idolatría consiste en la adoración a los demonios.
--"-- Y sirvieron a sus ídolos... sacrificaron sus hijos y sus
hijas a los demonios." (Salmo 106:36-37).
-"Lo que los gentiles sacrifican, a los demonios lo sacrifican y no
a Dios." (I Cor. 10:20).

2. El ocultismo es la manipulación de los poderes demoníacos con el
objeto de obtener logros personales egoístas.

(1) Al establecer un terreno común, los demonios se ponen de acuerdo
con la gente.
(2) Los beneficios ofrecidos a través de lo sobrenatural, siempre
se convierten en una maldición para el que recibe el beneficio.
(3) Tanto los dones sobrenaturales, como las maldiciones se pasan de
una generación a otra.

3. La maldición por doblegarse ante otros dioses pasa hasta la tercera
o cuarta generación. "No te inclinarás a ellas, ni las honrarás,
porque yo soy Jehová tu Dios, fuerte, celoso, que visitó la maldad
de los padres sobre los hijos hasta la tercera y cuarta generación
de los que me aborrecen." (Exodo 20:5).

II. DE LA RAIZ DEL OCULTISMO PROVIENEN CIERTOS RESULTADOS ESPANTOSOS.

1. Bloqueo espiritual.

(1) Un control sobrenatural que no nos permite confesar nuestra
fe en Jesús.
(2) Una actitud de rebelión contra toda la autoridad.
(3) Un bloqueo espiritual que nos impide entrar en los beneficios
espirituales del Espíritu Santo.

(4) No podemos ni leer la Biblia, ni adorar, ni orar sin ser atacados

2. Síntomas físicos.

   (1) Parálisis, epilepsia, desórdenes nerviosos, etc.
   (2) Niños anormales, con deformidades, sordomudos, etc. También desórdenes nerviosos, problemas en el aprendizaje, agitación, inhabilidad para funcionar en una estructura social, temores, pesadillas, etc.

3. Inestabilidad emocional

   (1) Ataques de rabia
   (2) Odio y Maldiciones
   (3) Disturbios nerviosos
   (4) Comportamiento huraño
   (5) Depresión.

4. Miedo

   (1) Inseguridad
   (2) Atormentado constantemente
   (3) Pesadillas

5. Cautiverio mental.

   (1) Confusión en patrones de pensamiento.
   (2) Problemas en el aprendizaje
   (3) Enfermedad mental

III. LAS DOS PREGUNTAS QUE MAS FRECUENTEMENTE ATORMENTAN A LA GENTE RESPECTO A LA RAIZ DEL OCULTISMO SON:

1. ¿Cómo es posible que un cristiano continúe sufriendo del yugo y de la opresión causados por una experiencia ocurrida antes de su conversión?

   Respuesta: La puerta que ha sido abierta a los poderes de las tinieblas, se mantendrá abierta a menos que la persona la cierre por medio de un acto de voluntad. El dejar una puerta abierta es invitar a la opresión.

2. ¿Puede un cristiano que nunca ha participado en ninguna forma de ocultismo sufrir de yugo o de opresión?

   Respuesta: (1) La opresión del ocultismo se pasa de padres a hijos.
   (2) Los niños pueden infectarse de ciertas "bendiciones" del ocultismo que sus padres hayan buscado.
   (3) Hay una maldición para aquellos que entren en alianza maldita con otro dios.

IV. LA RAIZ DEL OCULTISMO SE PUEDE CORTAR POR MEDIO DE:

1. La confesión de la fe en Jesucristo y la aceptación de Su autoridad sobre usted.

2. La confesión de los pecados del ocultismo.

3. Renunciación de Satanás y darle la orden que se retire.

4. La oración de liberación.

CONCLUSION: Una alianza que se ha hecho con otro dios no se puede romper
muy fácilmente. Para que haya una completa separación es necesario que exista una fe activa en Cristo y que se haga la renunciación de los poderes del ocultismo. Muchos necesitan ser liberados de los ancestros que hubieran hecho estas alianzas mal-
ditas. La alianza de la sangre de Jesús rompe la maldición del
ocultismo. Por fe el creyente confiesa con su boca y rompe toda
alianza del pasado.

POSEED LA TIERRA

CUARTA PARTE - LIBERACION.

INTRODUCCION.

Como siervos de Cristo, tenemos que hacer las obras de Cristo. Para tratar con
las obras del enemigo (Juan 14: 12). Si fueramos diligentes, casi todos los
nuevos creyentes recibirían ayuda y oración hasta que fueran liberados de todos
sus cautiverios del pasado. Numerosos cristianos jovenes en el Señor, luchan
hasta que al fín sucumben porque nunca pueden ser libres. Nosotros somos res-
ponsables por esos bebés. Lo que pasa es trágico, numerosos creyentes luchan
por muchos años hasta que fracasan, simplemente porque no recibieron el ministerio de Cristo recién se entregaron al Señor.

Creo que el Espíritu Santo está despertando a la Iglesia para que tome esta
responsabilidad. No debemos echar para atrás por abusos y errores, sino que
con diligencia, debemos buscar ministrar a los nuevos creyentes hasta que
estén completamente liberados.

La liberación es parte de la salvación. Jesús dijo, "Me ha enviado... a pre-
gonar libertad a los cautivos.." (Lucas 4:18). Cristo vino para rescatarnos
de la mano del enemigo. El es nuestro Libertador.

PRINCIPIOS QUE GOBIERNAN
EL MINISTERIO DE LA LIBERACION.

INTRODUCCION: El ministerio de la liberación ha sido desacreditado debido a falta de balance en las enseñanzas. Las enseñanzas que ponen toda la responsabilidad en el diablo y los demonios por los problemas que tengamos, son sin duda, faltas de balance Esas personas ven demonios en todo y hacen del hombre la - víctima. Creo que una enseñanza balanceada hace al hombre responsable por lo que es. Satanás puede ser que este involu- crado, pero esto es así, solo porque el hombre le ha dado cabi- da al diablo. Los principios que presentamos a continuación, tratan de dar balance a la enseñanza y al ministerio.

I. NO HAY SUBSTITUTO PARA EL ARREPENTIMIENTO.

1. El hombre es responsable por lo que escoja y por las respuestas que proporcione.

2. La vida cristiana se mantiene por medio de una actitud de arrepentimiento.

II. NO HAY SUBSTITUTO PARA LA AUTO-DISCIPLINA.

1. La liberación no le da al individuo disciplina.

2. La disciplina tiene que aprenderse.

3. La disciplina produce orden en la vida del individuo.

4. El diablo hace la mayoría de su trabajo por medio del desorden.

III. NO HAY SUBSTITUTO PARA LA CRUCIFICCION DE LA CARNE.

1. Uno no puede crucificar a los demonios.

2. Uno no puede echar fuera a la carne.

IV. NO HAY SUBSTITUTO PARA EL PERDON Y LA CONFESION DE PECADOS.

1. El terreno para la liberación debe ser peparado por medio del perdón y la confesión de los pecados.

2. Nos libramos de la amargura solamente por medio del perdón.

V. CUANDO SE LE DA LUGAR A SATANAS, ESTE ENTRA A LA PERSONA
"No déis lugar al diablo" (Efesios 4:27).

1. Hay cosas que hacemos que le dan lugar al diablo.
2. El diablo no respeta a una persona cristiana que le abre la puerta.

VI. SE PUEDE ECHAR FUERA AL DEMONIO, PERO EL TERRENO QUE LE DIO CABIDA NO SE PUEDE ECHAR FUERA.

1. No puede haber una liberación permanente, a menos que se trate con el terreno que le dió cabida al enemigo.

2. Derribe la fortaleza, y el enemigo va a huir (Prov. 21:22)

VII. HAY VARIOS GRADOS DE LIBERACION.

1. El Espíritu de Dios da liberación dependiendo qué grado de la — —
Verdad ha sido recibido.

2. El individuo puede resistir al enemigo con efectividad, dependiendo
del grado de entendimiento que éste tenga del enemigo y del terreno
que le ha sido entregado.

VIII. EL TERRENO BIBLICO PARA OBTENER LA LIBERACION ES LA VERDAD.

1. Recibir la verdad de la redención completa de Cristo.

2. Recibir la verdad concerniente a las obras de Satanás.

3. Recibir la verdad concerniente a sí mismo.

IX. EL RECIBIR LA VERDAD ES ACEPTAR NUESTRA PROPIA RESPONSABILIDAD EN EL
ASUNTO.

1. El hombre es responsable de lo que él es.

2. Solamente si él acepta esta responsabilidad hay liberación.

X. SE DEBE USAR PODER CONTRA PODER

1. El diablo solamente respeta a uno más poderoso que él

2. Uno debe ser el agresor contra el enemigo.

3. El hombre fuerte debe ser atado (Mateo 12:29).

CONCLUSION: El Espíritu de Dios que entra a una vida no va a permitir
que las obras del enemigo permanezcan escondidas. A medida
que el Espíritu revela sus obras, el creyente debe levantarse
y ceñirse con fe y entrar en contra del enemigo en todas y
cada una de las áreas, hasta que esté libre para ser la persona
que Dios quiere que sea.

EL MINISTERIO
DE LA LIBERACION A LOS NIÑOS

INTRODUCCION: Cuando un individuo hace inventario de su vida, vá a notar que hay ciertos ciclos que se repiten --ciclos de depresión miedos, temores, derrotas. Satanás tiene su manera de hacer que la vida de la persona caiga constantemente en estos ciclos y evitar que ésta esté libre para lograr ciertas metas en su vida.

PREMISA: Satanás ataca al niño y por medio de la herida causada puede controlar o incapacitarlo hasta el punto que no pueda tener libertad para vivir una vida normal.

I. LAS HERIDAS CAUSADAS POR EL RECHAZO PRODUCEN SUFRIMIENTOS EN LOS NIÑOS.

1. Satanás puede herir a un niño aún antes de su nacimiento.

   (1) Una madre puede comunicar rechazo a su hijo aún antes de que él nazca.
   (2) La mayoría de los niños adoptados sufren de rechazo.

2. Los niños tienen que ser liberados del espíritu de la madre.

   (1) Una madre puede comunicar sus propios rechazos
   (2) Una madre que ha sufrido de rechazo puede inconscientemente consentir demasiado a su hijo.
   (3) Estas barreras de rechazo tienen que destruirse y el corazón del niño unirse a sus padres.
   (4) Una niña que no haya sido aceptada por su padre, va a serle muy difícil aceptarse como mujer.
   (5) Un niño que no ha sido aceptado por su padre encuentra muy --difícil desempeñar su papel de hombre.

CONCLUSION: Para que el ciclo del rechazo sea destruido es necesario que tanto los padres como los hijos reciban el ministerio de liberación en esta área.

II. LOS NIÑOS SUFREN POR OPRESION DEBIDA AL OCULTISMO.

1. Se pueden desarrollar problemas en el aprendizaje.

2. El nerviosismo y la agitación pueden ser síntomas de esta opresión.

3. Los temores y pesadillas son síntomas también.

CONCLUSION: Es necesario que los padres confiesen su envolvimiento en el ocultismo y después de renunciar a las obras de las tinieblas, oren la oración de liberación para el niño. El ciclo debido a la opresión causada por el ocultismo puede ser roto.

III. LOS NIÑOS SUFREN DE MIEDO E INSEGURIDAD.

1. La atmósfera que haya en el hogar puede afectar al niño.

(1) Los padres pueden comunicar sus temores.

(2) El niño abosrbe la atmósfera que existe en el hogar.

2. Una experiencia traumática puede dejar en la memoria temores o miedo.

CONCLUSION: Pídale al Señor que sane la memoria de todo temor y miedo que surgió en el momento del trauma. Reprenda a los poderes de las tinieblas que lo atormentan debido a esos recuerdos.

IV. LOS NIÑOS SUFREN CUANDO UNO DE SUS PADRES HA MUERTO.

1. La muerte puede ser una experiencia que destroze a un niño.

(1) La vida de un niño se forma alrededor de sus padres.

(2) Cuando uno de los padres muere pueden producirse cicatrices de miedo, dolor e inseguridad.

2. A un niño que se le ha enseñado el concepto cristiano de la muerte — puede escapar de las cicatrices que ésta causa.

CONCLUSION: Ministre al niño la verdad de la vida después de la muerte. Ore porque el Señor llene el vacío que ha sido dejado en la vida del niño.

V. LOS NIÑOS SUFREN DEBIDO AL DIVORCIO.

1. El divorcio es peor que la muerte.

(1) La muerte deja vacío, pero el divorcio deja rechazo.

(2) La muerte deja dolor, pero el divorcio deja heridas y amargura.

2. El niño se destroza por la disolución de la relación.

(1) El niño lleva consigo la herida de la relación que se ha roto.

(2) Una relación que se ha roto entre los padres a menudo causa en el niño hostilidad, rebelión, concentración en sí mismo, o el vivir en un mundo imaginario.

CONCLUSION: El perdón es la clave. Generalmente, el niño lleva consigo las heridas de uno de los padres. Es muy importante que el niño — acepte a ambos padres y el amor que estos le dán.

VI. LOS NIÑOS SUFREN A CAUSA DEL ABUSO.

1. Hay dos resultados que provienen generalmente cuando el niño ha sido molestado sexualmente (generalmente se aplica principalmente a las — niñas).

(1) Promiscuidad como una forma de vida o

(2) Temor y culpabilidad que causan rechazo del papel sexual.

2. En el momento en el que el niño ha sido abusado puede entrar una influencia demoníaca.

CONCLUSION: Por medio del perdón puebe haber liberación del odio hacia los hombres. Pida al Señor que vaya con usted a esa experiencia que tuvo y haga la sanidad de los recuerdos de todas las heridas. Pida a Dios que le dé una visión del hombre como fue en el momento de la creación.

HOMOSEXUALIDAD.

INTRODUCCION: Lo último que puede ocurrir para que un individuo pierda toda su identidad personal, es que llegue a una confusión en los papeles sexuales. En este estado, la carne se convierte en un dios y las pasiones se tuercen para llevar una vida de promiscuidad en la que no existe el amor. La rebelión y la inseguridad llevan a la persona hasta el punto que ésta está totalmente absorta en su propio pecado.

I. PUNTO DE VISTA BIBLICO CON RELACION A LA HOMOSEXUALIDAD.

1. Dios no creó a ningún individuo homosexual.

   (1) En el principio Dios creó al hombre, varón y hembra. (Génesis 1:27).
   (2) El hombre y la mujer debían hacerse una sola carne (Génesis 1:28-2:24).

2. El resultado de la rebelión contra Dios es la homosexualidad (Romanos 1:24-27).

   (1) El hombre cambió la gloria de Dios incorruptible por la corruptible y perdió su propia gloria.
   (2) En vez de vivir en la verdad, el hombre escogió vivir en la mentira y Dios le permitió que se entregase a pasiones desenfrenadas.

3. Las siguientes escrituras expresan el punto de vista de Dios con relación a la homosexualidad.

   Levítico 18:22   Deuteronomio 23:17-18
   Levítico 20:13   Romanos 1:24-27
   Deuteronomio 22:5   I Corintios 6:9-10

4. La homosexualidad es definitivamente un espíritu de perversión
   --Ejemplo: los hombres de Sodoma (Génesis 19)
               los hombres de Benjamín (Jueces 19).

5. La homosexualidad tiene su propio dios.
   --la carne y la auto-gratificación.
   --El culto fálico de otras generaciones con prostitutos varones.

II. LA HOMOSEXUALIDAD ES UNA ELECCION.

   1. Es una elección que ha sido causada por influencias de los padres, parientes, circunstancias, etc., como lo podemos ver en los siguientes ejemplos:

      (1) Juan:
              --Odio y rechazo hacia el padre.
              --Pérdida de la propia identidad.
              --La madre era la cabeza del hogar.
              --Una vida dominada por el rechazo.

      (2) Gregorio:
              --Sabía que su padre lo amaba pero le tenía miedo.

--Los hermanos no lo aceptaban: contínuamente lo criticaban.
--Encontró aceptación al tener una expreiencia sexual con otro
  muchacho mayor que él.
--Violado sexualmente a la edad de 14 años.
--Se sentía muy solo toda la vida.

(3) María:
--Adoptada, toda una vida de rechazo.
--Veía raras veces al padre y éste era muy difícil de complacer.
--Amargada contra los padres.
--Inseguridad
--No sentía ninguna simpatía por sí misma

(4) Susana:
--Rechazada por los padres.
--Sufrió crueldad cuando era niña.
--Se odiaba y se rechazaba a sí misma.
--Odiaba a las mujeres; tomó la imagen del varón.

CONCLUSION:

1. Todos estos tenían malas relaciones con su padre.
2. Todos tenían problemas de identidad sexual desde temprana edad.
3. La rebelión es el elemento que los tornó a la homosexualidad.
4. El rechazo era la fuerza que los dirigía a que buscaran aceptación con personas de su mismo sexo.

III. EL HOMOSEXUAL SE OPONE A SI MISMO.

1. Sus temores son destructivos.

  (1) Tiene miedo a tener relaciones normales
  (2) Tiene miedo de ser rechazado
  (3) Tiene miedo de ser un fracaso.

2. Formas de auto-rechazo.

  (1) Odio hacia su propio sexo
  (2) Odio a sí mismo
  (3) No tiene una identidad propia.

3. Formas de rechazo hacia otros:

  (1) La persona amargada busca sus propias víctimas.
  (2) El miedo a ser rechazado se convierte en una forma de vida.

Nota: La homosexualidad es al mismo tiempo agresiva como reticente.

4. Excusas:
  (1) "No puedo cambiar la forma como fuí hecho."
  (2) "Tengo el mismo derecho que otros tienen para satisfacer
     mis necesidades sexuales."
  (3) "Voy a cambiar mi sexo por medio de una operación quirúrgica
     y así la sociedad me va a aceptar."
  (4) "Yo puedo servir a Dios siendo homosexual--Dios me acepta
     tal y como soy."

IV. MINISTERIO AL HOMOSEXUAL.

1. Encontrar las raíces de la rebelión.

2. Restaurar las relaciones rotas en el hogar.

3. Buscar una aceptación de sí mismo y del papel sexual - una nueva imagen.

4. Tratar con el miedo y el temor a ser rechazado.

5. Renovación de la mente - tratar con el pecado.

6. Cambiar el estilo de vida.

Nota: Algunas personas se vuelven homosexuales por circunstancias posteriores en su vida tales como la prisión, el servicio militar, las experiencias bisexuales, etc. Estas personas no tendrán las raíces profundas que existen cuando el problema ha tenido lugar en la edad temprana, la niñez.

COMO MANTENER LA LIBERACION.

INTRODUCCION: El enemigo ha entrado en la tierra valiéndose del engaño y
                 de la fuerza. La clave está en la destrucción del engaño.
                 y de todas y cada una de las obras del enemigo. El mantener
                 la liberación significa resistir al enemigo y caminar en la
                 verdad.

TEXTO: "Estad, pues firmes en la libertad con que Cristo nos hizo
                 libres y no esteis otra vez sujetos al yugo de la esclavitud"
                 (Gálatas 5:1).

I. ESTAR FIRMES DIARIAMENTE EN LA PALABRA.

    1. Tome su lugar en Cristo como muerto al pecado   (Romanos 6:11).

    2. Escóndase usted dentro de la Palabra (Salmo 91).

    3. Esté firme sobre las promesas (Efesios 6:17)

        (1) Miedo:
            --De las circunstancias (Isaias 43:1-2).
            --Del enemigo ó del hombre (Isaías 51:12-16)
            --Del fracaso (II Timoteo 1:7; II Corintios 2:14)
        (2) Sanidad de las heridas:
            --Jeremías 30:17
            --Isaías 43:18-19
            --Isaías 61:3
        (3) Rechazo:
            --Isaías 53:3
            --Isaías 54:4
            --Jeremías 30:17
            --Efesios 1:6
        (4) Acusación y condenacion:
            --Romanos 8:1; 33. 34
            --Apocalípsis 12:10-11
        (5) Pasividad:
            --Lucas 4:18
            --I Pedro 1:13
            --Marcos 11:23

    4. Permita que la verdad arroje al engaño
        --la verdad os hará libres (San Juan 8:32).

        (1) Engaño acerca de usted mismo.
        (2) Engaño acerca de Dios
        (3) Engaño acerca de otros.

II. RESISTA AL ENEMIGO.

    "Someteos pues, a Dios; resistid al diablo, y huirá de vosotros"
    (Santiago 4:7).

    1. Resista basándose en la Sangre de Jesús (Apocalipsis 12:11).
        --Confiese su victoria y liberación por medio de la Sangre de
        Cristo.

2. Reclame su autoridad sobre Satanás por virtud de la posición que usted tiene en Cristo Jesús.
   --Efesios 1:20-21; 2:6; Col. 2:13-15; Lucas 10:17; Mat. 28:18.
   --Ordene a Satanás que se retire en el nombre de Jesucristo.

3. Use el escudo de la fe y la espada del Espíritu en la hora de la tentación.
   --Efe. 6:16; I Pedro 5:9; S. Mateo 4:4; 7, 10.
   --Confiese la Palabra con su propia boca.

4. Póngase toda la armadura de Dios (Efesios 6:10-18)
   --El cinto de la verdad de Dios nos permite movernos en batalla.
   --La coraza de la justicia de Dios nos proteje contra las acusaciones del enemigo.
   --Al calzar nuestros pies con el apresto del Evangelio de paz nos libre de todo conflicto interior.
   --El yelmo de la salvación de Dios renueva nuestra mente.

5. Lléve cautivo todo pensamiento (II Corintios 10:5).

III. CAMINE EN COMUNION CON EL SEÑOR

1. Sométase usted a Dios.
   (--El otro aspecto del versículo en Santiago 4:7.

   (1) La comunión que tenemos con Dios cuando le obedecemos.
   (2) La comunión que tenemos con Dios cuando esperamos en El. (I Pedro 5:6).

2. Caminando en el Espíritu.

   (1) Los deseos de la carne no deben satisfacerse (Gal. 5:16).
   (2) Los deseos de la carne mueren por medio del Espíritu (Romanos 8:13).

3. Poned la mira en las cosas de arriba (Col. 3:1-3).

4. Caminad en la luz (I Juan 1:7).

   (1) Hay comunión en la luz.
   (2) En la luz somos límpios.

CONCLUSION: La redención completa de la Cruz nos pertenece. La fe activa se apropia de esta redención en cada parte de nuestra vida. Tú eres una parte directa de la obra de Dios en tí. Debes responder con fe y resistir al enemigo.

EL MINISTERIO DE LA LIBERACION

INTRODUCCION: El ministerio de la liberación se le ha dado al Cuerpo de Cristo para ser incorporado entre los cinco ministerios principales que tiene la Iglesia. Yo creo que hay una unción dada a diferentes personas en las que el don de discernimiento opera y nos encontramos que estas personas son las que ministran a los que son oprimidos por el diablo. Este ministerio demanda mucho de la persona que lo ejercita ya que ésta tiene que entrar en batalla con las fuerzas espirituales para ministrar liberación. El ciertamente necesita el respaldo de todo el Cuerpo.

I.   SU VIDA PERSONAL.

1. Una vida de disciplina en:

    (1) Oración
    (2) Ayuno
    (3) La Palabra de Dios.

2. Una vida balanceada en:

    (1) Descanso y recreación
    (2) Familia
    (3) Ministerio

3. Pureza en su vida personal. "Aquella persona que posee pasión por la justicia y odio por el mal es la que tiene libertad para entrar y moverse sin ser molestado dentro del territorio enemigo" Michael Harper.

    (1) Limpio de toda contaminación de la carne y del espíritu (II Cor. 7:1; I Cor. 9:27).
    (2) Perfeccionando la santidad en el temor de Dios (II Cor. 7:1).

II. SU MINISTERIO.

1. Que tenga control en lo referente a
    (1) El tiempo dedicado al ministerio.
        a. No permita que el demonio lo empuje a ministrar. Usted es el que escoge los términos --usted debe estar en control.
        b. Limite las horas y los días que usted dedique al ministerio.
    (2) Clase de personas que pueden recibir este ministerio:
        a. ¿Está la persona lista, o quiere solamente un alivio temporal?
        b. ¿Quiere la persona ministerio en vez de una liberación permanente?
        c. ¿Posee la persona suficiente Verdad para mantener la liberación?
2. Ore para recibir discernimiento.

    (1) El discernimiento es un don (I Corintios 12).
    (2) Este don se desarrolla con diligencia y experiencia.

3. Usted debe ministrar con autoridad y poder.

    (1) El grado de autoridad depende de:

        a. El grado de poder dado por el Espíritu Santo en respuesta
            a su fe.
        b. Su propia sumisión a la autoridad de Cristo sobre usted.
            PRINCIPIO: El someterse a la autoridad dá autoridad.
        c. La plenitud del Espíritu Santo dá poder.

    4. Debe tener conocimiento de la Palabra.

        (1) Satanás es el padre de las mentiras y el engaño.
        (2) Debe hacerle frente a las mentiras de Satanás por medio de
             la Palabra de Dios.
        (3) La Palabra de Dios nos dá poder y autoridad.
        (4) La Palabra de Dios se convierte en una espada de dos filos.

    5. Ministre con la compasión del Señor.

        (1) Una aceptación y amor incondicionales.
        (2) Hable la verdad en amor

    6. Mantenga al ministerio estrictamente confidencial.

    7. Cuando usted ministre tenga con usted una persona madura que lo - -
        acompañe.

III. SU UNCION

      --La unción de David (Salmo 18:50)

    1. Dios se convierte en nuestra fortaleza (Salmo 18:50)

    2. Extendida a los oprimidos (Salmo 18:16-19)

    3. Dada a los que tienen sus manos limpias (Salmo 18:20-24)

    4. Fortaleza sobrenatural (Salmo 18:26-36)

    5. Victoria sobre los enemigos (Salmo 18:37-45)

    6. Protección (Salmo 18:46-49)

CONCLUSION: "No temas que yo soy contigo; no desmayes porque yo soy tu Dios
             que te esfuerzo; siempre te ayudaré, siempre te sustentaré con
             la diestra de mi justicia. He aquí que todos los que se enojan
             contra tí serán avergonzados y confundidos: serán como nada y
             perecerán, los que contienden contigo; buscarás a los que tienen
             contienda contigo y no los hallarás; serán como nada y como cosa
             que no es, aquellos que te hacen la guerra. Porque yo Jehová
             soy tu Dios que te sostiene de tu mano derecha y te dice: no -
             temas, yo te ayudo" (Isaías 41:10-13).

QUINTA PARTE - LA MALDICION DE LA TIERRA

INTRODUCCION

Dios les dijo claramente a los israelitas que destruyeran a todo ser viviente incluyendo a los niños en la tierra de Canáan. Este juicio tan severo indica la severidad de la maldición causada por la práctica del ocultismo. El pueblo de esta tierra practicaba las artes mágicas y eran adoradores de ídolos. La muerte, era la única forma con la que se podía remover la influencia y presencia del ocultismo. Las raíces del ocultismo se extienden hasta la tercera y cuarta generación. Dios no quería que su pueblo estuviera contaminado, por consiguiente la muerte era la respuesta.

Bajo el Nuevo Pacto, la muerte de Cristo puede romper la maldición del ocultismo de manera que los cautivos puedan vivir y ser libres. Dios quiere a Su pueblo libre, la raíz tiene que cortarse y la alianza tiene que romperse. La maldición fué removida por la Cruz.

EL ORIGEN DEL OCULTISMO

INTRODUCCION: Las religiones antiguas tenían sus raíces en el ocultismo. Estas religiones se llamaban Religiones Misteriosas debido a los ritos secretos que se llevaban a cabo cuando la gente se iniciaba. Se cree que Babilonia fué el lugar en donde nacieron éstas religiones y sus tradiciones. La Biblia describe la existencia de esta clase de religión en los últimos tiempos. "..Un misterio, Babilonia la Grande, la madre de las rameras y de las abominaciones de la tierra." (Apocalipsis 17:5). Las prácticas del ocultismo caben muy bien en esta descripción. El nombre oculto significa "aquello que está escondido". El hombre ha descubierto secretos escondidos por medio de los cuales ha abierto las puertas del mundo del ocultismo. Estos secretos son los misterios de Babilonia. Dios provocó la destrucción completa de la antigua Babilonia (Jeremías 50), y a la contraparte espiritual de Babilonia en los útlimos tiempos le espera lo mismo (Apocalipsis 19:2)

TEXTO: "Vino entonces uno de los siete ángeles que tenían las siete copas y habló conmigo diciéndome: Ven acá y te mostraré la sentencia contra la gran ramera, la que está sentada sobre muchas aguas; con la cual han fornicado los reyes de la tierra, y los moradores de la tierra se han embriagado con el vino de su fornicación. Y me llevó en el Espíritu al desierto; y ví una mujer sentada sobre una bestia escarlata llena de nombres de blasfemia y que tenía siete cabezas y diez cuernos. Y la mujer estaba vestida de púrpura y de escarlata, y adornada de oro, de piedras preciosas y de - perlas y que tenía en la mano un cáliz de oro lleno de abominaciones y de la inmundicia de su fornicación; y en su frente un nombre escrito; MISTERIO, BABILONIA LA GRANDE, LA MADRE DE LAS RAMERAS Y DE LAS ABOMINACIONES DE LA TIERRA." (Apocalípsis 17:1-5).

I. EL OCULTISMO TIENE SUS COMIENZOS EN LA IDOLATRIA.

1. El ocultismo es la adoración de otros dioses.

   (1) Estos dioses obran en la idolatría y en los sistemas religiosos.
   (2) Estos dioses traen lo sobrenatural a la idolatría.

2. La idolatría abre las puertas a los poderes escondidos de las tinieblas.

   (1) Estos poderes son demonios (Salmo 106:35-38; I Corint. 10:20)
   (2) En el primer Mandamiento, Dios nos habla de otros dioses (Exodo 20:1)

3. El ocultismo busca la manipulación de estas fuerzas espirituales.

   (1) Estas fuerzas demoníacas se dejan usar por los que practican el ocultismo.
   (2) El precio requerido por esta clase de servicio es la esclavitud completa del individuo.

CONCLUSION: Involucrarse con el ocultismo significa inclinarse ante otros dioses. Esta alianza maldita abre las puertas de lo sobrenatural. Aunque la persona envuelta, al principio, puede manipular estos poderes, termina por estar esclavizada por completo.

II. LA REBELION CONTRA DIOS ES LA RAIZ DEL OCULTISMO.

    1. El hombre en el Jardín del Edén buscó conocimientos que estaban escondidos.
    "..serán abiertos vuestros ojos y seréis como Dios..." (Genesis 3:5).

        (1) El hombre se rebeló contra el mandamiento de Dios.
        (2) El conocimiento prohibido causó que el hombre cayera bajo la autoridad de las tinieblas.

    2. Después del diluvio el hombre trató de organizar su reino y su sistema religioso.
    "Vamos, edifiquémos una ciudad y una torre, cuya cúspide llegue al - cielo..." (Génesis 11:4).

        (1) El hombre buscó establecerse como Dios.
        (2) Los cielos se convirtieron en el objeto de su adoración.

    3. El reino de Babilonia se convierte en un centro de idolatría.

        (1) El hombre descrubre el ocultismo.
        (2) Los poderes ocultos se presentan a la disposición de éste.

III. EL CONOCIMIENTO Y EL PODER SE CONVIERTEN EN LOS ELEMENTOS PRINCIPALES DEL OCULTISMO.

    1. El ocultismo es la búsqueda del destino y del saber.

        (1) Existe la necesidad para saber el significado y propósito de la vida.
        (2) La gente es atrapada por la fascinación de lo desconocido.
        (3) Todas las formas del ocultismo tratan de predecir el futuro.

CONCLUSION: "Las cosas secretas le pertenecen a Dios." (Deuteronomio 29:29)

    2. El ocultismo es el arrebato del poder para dominar y controlar.
    "Seréis como Dios" (Génesis 3:5).

        (1) El potencial del hombre de dominar la tierra se pervierte.
        (2) El hombre busca el control y dominio de otros.
        (3) El hombre busca tener poder sobre otros dioses.

CONCLUSION: En vez de someterse a Dios, el hombre ha buscado otros dioses que él pueda manipular y hacerse poderoso de este modo.

EL ENGAÑO DEL OCULTISMO.

INTRODUCCION: Existe un vacío en el mundo religioso. Por generaciones la -
Iglesia ha negado la obra sobrenatural del Espíritu Santo para
el tiempo presente. El énfasis sobre el intelecto con sus poderes de razonamiento ha sido la fuente de doctrina que ha -
echado a un lado lo sobrenatural. Debido a este vacío, el reino
de las tinieblas está generando un avivamiento del ocultismo y
lo sobrenatural. La iglesia tradicional se ha estructurado y
está muerta. La gente la está dejando y buscando la realidad en
otros lugares. Porque el hombre es básicamente religioso ha encontrado en el engaño del ocultismo una satisfacción a esta necesidad.

TEXTO: "Porque éstos son falsos apóstoles, obreros y fraudulentos, que
se disfrazan como apóstoles de Cristo. Y no es maravilla porque
el mismo Satanás se disfraza como ángel de luz. Así que, no es
extraño si también sus ministros se disfrazan como ministros de
justicia, cuyo fin será conforme a sus obras." (II Corin. 11:13-15).

TESIS: Lo sobrenatural del ocultismo es algo real.

I. EL HOMBRE HA DESCUBIERTO LA REALIDAD EN OTRA DIMENSION, POR MEDIO DEL OCUL-
TISMO.

1. El mundo del ocultismo es real.

   (1) Mucha gente se afirma en la siguiente premisa: "Si es real, es -
   correcto."
   (2) Muchos ignoran la realidad de un enemigo espiritual.

2. El mundo del ocultismo es una dimensión sobrenatural.

   (1) Mucha gente se afirma en la siguiente premisa: "Si es sobrenatural
   entonces es Dios."
   (2) El hombre tiene un enemigo sobrenatural que es un falsificador.

3. Por medio del ocultismo se abre la puerta a un reino de otra dimensión.

   (1) El ocultismo posee las llaves para abrir las puertas a esa dimensión.
   (2) Estas puertas son: espiritísmo, fenómenos psíquicos, percepción
   extrasensorial, adivinación, magia y satanísmo.

II. POR MEDIO DEL OCULTISMO HA VENIDO LA FALSIFICACION DE LA VERDAD.

1. Hay un verdadero derramamiento del Espíritu Santo que es sobrenatural
(Joel 2:28; Hechos 1:5;8).

   (1) En el verdadero bautismo del Espíritu Santo, uno recibe su plenitud.
   En el falsificador uno recibe un espíritu inmundo.
   (2) El Espíritu Santo energiza al individuo en su totalidad.
   El espíritu inmundo convierte a la totalidad del individuo
   en pasivo.

(3) Jesucristo es el que bautiza con el Espíritu Santo.
El falsificador trabaja por medio de mediums, en sesiones
de espiritismo, etc.

2. Hay dones sobrenaturales y verdaderos del Espíritu Santo (I Cor. 12:1-12

(1) Hay dones verdaderos y reales de revelación, versículos 8, 10
-Palabra de sabiduría por medio del Espíritu Santo.
-Palabra de ciencia de acuerdo al Espíritu Santo.
-Discernimiento de espíritus por medio del Espíritu Santo.
La falsificación ha venido en la siguiente forma:
-Clarividencia y clariaudiencia (P.E.S. de objetos y de eventos).
-Presentimientos (conocimiento de eventos que no se han realizado
todavía).
-Telepatía (experiencia directa con los pensamientos de otra persona)
(2) Hay verdaderos dones de poder, versículos 9 y 10
-El don de fe por el Espíritu Santo.
-El don de sanidad por el Espíritu Santo.
-El don de hacer milagros por medio del Espíritu Santo.
La falsificación ha venido en la siguiente forma:
-Fe por medio de concentración del pensamiento y voluntad.
-Sanidades por medio de mediums espiritistas con poderes sobre-
naturales.
-Manifestaciones sobrenaturales (Apocalipsis 13:13-15).
(3) Hay dones verdaderos de inspiración, versículo 10
-El don de profecía por la inspiración del Espíritu Santo.
-El don de lenguas por inspiración del Espíritu Santo.
-El don de interpretación de lenguas por medio del Espíritu Santo.
La falsificación ha venido en la siguiente forma:
-Adivinación
-Lenguas usadas por poderes demóniacos.

CONCLUSION: Los poderes ocultos hacen su enfoque en la mente humana mientras
que la verdad viene por medio del espíritu y son ministerios del
Espíritu Santo. Para ministrar la verdad no es necesario la pasividad ni estar en trance, "Donde esta el Espíritu del Señor, allí
hay libertad" (II Cor. 3:17). El Espíritu de Dios ni consume al
individuo ni lo oprime. Las obras del Espíritu Santo son para la
edificación y son correspondientes con el fruto del Espíritu Santo
La falsificación corresponde a las obras de las tinieblas y las
obras de la carne.

III. EL DISCERNIMIENTO DE ESPIRITUS DESCUBRE EL ENGAÑO DEL OCULTISMO

1. Los "ángles de luz" son descubiertos por medio del discernimiento de
espíritus (II Cor. 11:13-15; Hechos 13:9-10).

2. La presencia de espíritus engañadores se descubre por medio del don
de discernimiento de espíritus. "poseída por espíritu de adivinación"
(pitón) (Hechos 16:16).

3. La doctrina de los demonios se descubre por medio del don de discernimiento de espíritus (I Tim. 4:1; II Pedro 2:1).

4. Las personas que hacen milagros por medio del demonio son descubiertas
por medio del don de discernimiento de espíritus. "Señales y prodigios mentirosos" (II Tes. 2:9); "espíritus de demonios que hacen señales" (Apocalipsis 16:14).

NCLUSION: "por medio del don de discernimiento de espíritus se puede tener
            una percepción sobrenatural del mundo secreto de los espíritus.
            Este revela la clase de espíritu que está activando a la persona
            que está manifestando un poder o conocimiento sobrenatural."
            Harold Horton.

ESPIRITISMO - BUSQUEDA DE LA VIDA DESPUES DE LA MUERTE

INTRODUCCION: El espiritismo es un esfuerzo para ir más allá de la muerte y entrar en contacto con seres queridos que ya han partido. - Se recogen evidencias de que estos sobreviven después de la muerte y supuestamente se quita la idea de la muerte como una cosa real y la separación de parientes y amigos como algo - final. Ellos dirían a los cristianos: "ustedes tienen la fe en la vida después de la muerte, pero nosotros tenemos la evidencia."

El espiritismo se ha convertido en una religión reconocida que clama tener una tercera revelación -una más allá de Cristo. - Esta revelación proviene de espíritus de personas que han partido. Los dones sobrenaturales se manifiestan, tales como - profecía, hablar en lenguas, interpretación de lenguas, dones de sanidades, palabra de conocimiento, etc. Como pretexto ha adoptado nombres y rituales cristianos. Cuadra fácilmente - dentro de la religión en la que la idolatría es evidente.

TEXTO: "Ni encantador, ni adivino, ni mago, ni quien consulte a los muertos" (Deut. 19:11)

I. LA DOCTRINA DEL ESPIRITISMO

1. Dios es eterno e incambiable e infinito en su perfección. El creó el universo y todo lo que en éste existe.

2. El hombre es un espíritu imperfecto creado por Dios. Dios coloca a estos espíritus imperfectos dentro de la carne con el objeto de perfeccionarlos. Una vez que el espíritu se perfecciona, regresa a Dios.

3. Los espíritus habitan en el espacio que nos rodea haciendo bien y mal en el mundo físico. Cuando hay deseo del amor y del bien, los espíritus superiores son atraídos para que haya un encuentro. Los espíritus inferiores trabajan con los tontos y los curiosos.

4. No existen ni Satanás ni los demonios. El diablo existe solo dentro de cada uno de nosotros.

5. El pecado es una serie de limitaciones que van a desparecer. Todos los pecados son expiados por medio de sufrimientos en esta vida. No hay infierno excepto el que hay en esta vida.

6. Jesucristo solamente sirve de ejemplo para mostrarnos como debemos - sufrir para pasar de lo material a lo inmaterial. El es considerado un espíritu superior, más perfecto, en la categoría de Mahoma y Buda. El no es Dios.

7. La muerte no es una cosa que sucede una sola vez. Si el hombre muere en un estado moral, él pasa a otros planetas. No se dá lugar para la resurrección de los muertos.

8. No hay juicio ni infierno.

63

II. DOS SUPOSICIONES BASICAS DEL ESPIRITISMO..

    1. La comunicación entre los vivos y los muertos.
    -Los espiritistas usan las siguientes escrituras como referencia:
    ellos dicen que Deuteronomio 18:11 afirma la realidad de la comuni-
    cación entre los vivos y los muertos (Mateo 17:1-13); y la conversa-
    ción del Rey Samuel (I Samuel 28).

CONCLUSION: El espiritista no puede probar la identidad de la persona con
              la que él se ésta comunicando. Hay espíritus engañadores que
              pueden imitar a la persona muerta y producir hechos conocidos
              por esa persona. Jesús siempre se comunicó con el Padre, no con
              los muertos. La aparición de Moisés y Elías confirman la rea-
              lidad de la vida después de la muerte; ellos hablaron solamente
              con Jesús cuando este estaba transfigurado en esos momentos.
              Yo no voy a hacer ninguna especulación referente a este evento
              que se realizó solamente una vez. Jesús enseñó a sus discípu-
              los a orar al Padre, no a los muertos.

    2. Reencarnación.
    -Las siguientes escrituras son usadas por los espiritistas en lo
    referente a la reencarnación.

       (1) Mateo 11:14- Juan el Bautista vino en el espíritu de Elías
            NOTA: El testimonio de Juan en Juan 1:19:23.
            "El espíritu de Elías" - indica el papel y carácter del pro-
            feta que iba a ser el precursor del Mesías.
       (2) Juan 9:2 - El hombre ciego. Interpretación que da el espiritismo:
            Una persona nace ciega como indicativo que ha pecado en una vida
            anterior. Conclusión: La condición de la ceguera no era indi-
            cativo de que él hubiera pecado ni que sus padres hubieran pecado.
            (Versículo 3).
       (3) Juan 3:3 - Nicodemo. La interpretación que dá el espiritismo:
            El nacer de nuevo indica reencarnación. En el cristianismo sig-
            nifica regeneración.
            Nota: La regeneración indica un cambio en el alma y en la vida
            de la persona, no un cambio de cuerpo.

CONCLUSION: La doctrina de la reencarnación niega el corazón del Evangelio, esto
              es, la redención de Cristo por medio de la cruz. El hombre se
              convierte en su propio salvador y el mundo físico se convierte en
              su cruz. Jesucristo pierde su deidad y el mundo espera una pala-
              bra del reino de los muertos. Este es el estado del espiritismo.

III. EL ESPIRITISMO SE PROYECTA EN DIFERENTES FORMAS.

    1. El espíritismo se proyecta a través de mediums.

    2. Por medio de diferentes objetos (la levitación, la tabla ouija, etc.)
    inanimados se recibe comunicación "con los muertos".

    3. La escritura automatica se convierte en una comunicación directa que
    se piensa como algo válido.

CONCLUSION: Satanás y los demonios desean comunicarse con el hombre y esta
comunicación la van a hacer con la persona que esté dispuesta
a ceder sus facultades a cambio de manifestaciones ocultas. -
Los ignorantes van a recibir estas comunicaciones como revela-
ciones del mundo de los espíritus por medio de las cuales pueden
saber lo desconocido. Ya sea por medio de mediums o de objetos,
los demonios buscan comunicarse con el hombre.

FENOMENOS PSQUICOS

INTRODUCCION: Los fenómenos psíquicos abren la puerta al mundo de los espíritus y muchas personas entran por esta puerta dirigidas por
la curiosidad y la emoción de lo sobrenatural. Las manifestaciones, que son muchas, son diseñadas para atrapar a las almas
inocentes. Estos fenómenos se presentan en las siguientes –
formas:

I. LAS SIGUIENTES PUERTAS SE ABREN AL MUNDO DE LOS ESPIRITUS POR MEDIO DE
FENOMENOS PSIQUICOS.

1. Espíritu burlón (Poltergeísta)

   (1) Definición: "espíritu ruidoso"
   (2) Estos espíritus se presentan como espíritus de personas
       muertas.
   (3) Estos espíritus son atraídos a las casas en las que han llevado
       a cabo prácticas del ocultismo.

CONCLUSION: El avivamiento del espiritísmo moderno comenzó en los Estados
Unidos en una residencia en la que había manifestaciones de
fenómenos extraños. Cuando establecieron comunicación, las
hermanas Fox desarrollaron habilidades de mediums, las que
fueron utilizadas para propagar el espiritismo por todos los
Estados Unidos. Esto comenzó en la casa de las hermanas Fox
en el año de 1848.

2. Levitación

   (1) Definición: "Capacidad para que un objeto sólido, venciendo
       las leyes de gravedad, se levante por sí mismo sin que nada lo
       sostenga." Walter Martin.
   (2) El fenómeno de la levitación es del ocultismo y se lleva a cabo
       por medio de poderes del ocultismo.

CONCLUSION: Los poderes que tiene el ocultismo para resistir y vencer las
leyes naturales han fascinado a los curiosos y descreídos, –
haciendo de ellos víctimas del engaño. Maharishi Mahesh Yogi,
fundador de la Meditación Trascendental, ha presentado reciente-
mente un curso para enseñarle a la gente a levitarse y volar a
voluntad.

3. La tabla ouija

   (1) Definición: Una forma de comunicación que utiliza el medium
       por medio de la cual ese espíritu responde a las preguntas de
       los curiosos.
   (2) Un "juego inocente" que pone a la persona en contacto con el
       mundo de los espíritus.

CONCLUSION: La credibilidad en el mundo de los espíritus se establece por
medio de juegos.

4. Telekinésis

66.

(1) Definición: El movimiento de un objeto sólido de un cuarto a otro o aún a distancias largas sin que existan medios visibles de transportación. Los artículos pueden moverse aún a través de paredes y puertas cerradas con llave.

(2) Por medio de los poderes del ocultismo se produce suficiente - energía para mover objetos materiales sólidos.

CONCLUSION: La energía espiritual puede mover objetos materiales.

5. Proyección Astral.

(1) Definición: En estado consciente un individuo es capaz de dejar su cuerpo físico y viajar distancias largas, observando a otras personas y luego relatando lo que estas han dicho o hecho y más tarde regresa a su cuerpo y confirma lo que él vió.

(2) Las drogas pueden producir este mismo estado.

CONCLUSION: Las fuerzas del ocultismo pueden trabajar en ésta área y bien pueden ser un engaño demoníaco. Satanás le mostró en un momento los reinos del mundo al Señor Jesucristo.

6. Escritura automática.

(1) Definición: Una persona escribe bajo la compulsión de una influencia espiritual sin saber lo que escribe sino hasta más tarde.

(2) Esta es una de las formas de comunicación "con los muertos".

CONCLUSION: Cuando la persona permite ser usada por una fuerza externa, una acción compulsoria describe esta experiencia. Varios mensajes y doctrinas se comunican en lo que puede describirse como "doctrina de demonios".

7. Stigmata.

(1) Definición: Marcas y aún heridas que aparecen en el cuerpo de un individuo impuestas en forma sobrenatural imitando las llagas de Cristo.

(2) Este fenómeno se presenta en personas sinceras quienes por ignorancia hacen alianza con poderes ocúlticos.

CONCLUSION: Los beneficios espirituales que vienen derivados de este fenómeno tales como sanidades y milagros producen en la persona que los recibe opresión y engaño.

Los poderes saben imitar y usar muy bien lo sobrenatural para engañar a la gente. No tiene que haber ningún otro derramamiento de sangre.

II. OBSERVACIONES ACERCA DE LOS FENOMENOS PSIQUICOS.

1. La fe se substituye por los fenómenos psíquicos (Deut. 13:1)

2. Las personas que buscan fenómenos psíquicos siempre adoran a otros dioses.

3. Los fenómenos psíquicos son un substituto de lo sobrenatural que proviene de Dios.

4. La escritura automática es la falsificación de la inspiración de las Sagradas Escrituras.

CONCLUSION: Las Escrituras describen al engañador que actúa por medio de fenómenos psíquicos como ".. inícuo cuyo advenimiento es por obra de Satanás, con gran poder y señales y prodigios mentirosos, y con todo engaño de iniquidad, para los que se pierden, por cuanto no recibieron el amor de la verdad para ser salvos..." (II Tesalonicenses 2:9-10).

PERCEPCION EXTRASENSORIAL - P.E.S.

INTRODUCCION: El fenómeno de percepción extrasensorial vá más allá de lo que el hombre puede explicar científica o lógicamente. Este fenómeno va más allá de la habilidad del hombre para conocer por medio de sus sentidos cosas que no se pueden explicar sino por medio de lo sobrenatural. El engaño consiste en - hacerle creer al individuo que él tiene estos poderes ocultos en su mente subconciente, y que solamente con soltarlos puede pasar más alla del terreno de lo natural. Esta es una forma de abrir la puerta al mundo del ocultismo. El Dr. J.B. Rhine, quien ha hecho estudios muy extensos en esta área, dice: "Parece que la habilidad para la Percepción Extrasensorial aparece en diferentes formas que envuelven el ocultismo y a través de la mayoría de las prácticas de magia."

DEFINICION: "El recibimiento de información por cualquier persona en - cualquier forma distinta a la de los sentidos." J.B. Rhine. (NOTA: La fuente de esta información se deriva de lo oculto).

I. SUEÑOS VISIONARIOS

1. Ejemplos referidos por Kurt Koch en su libro El Consejero Cristiano y el Ocultismo, pp.52-55 (Counseling and Occultism).

2. Avisos y Ejemplos Bíblicos.
-Daniel 1:17, 19, 10: Deut. 13:1-5

II. TELEPATIA

1. Definición: "La adquisición de conocimiento...sin el uso de los sentidos." J.B. Rhine.

2. La telepatía se usa también con objetos para recibir información - acerca de su dueño.

3. La telepatía es una posible respuesta al fenómeno que ocurre cuando una persona anuncia su muerte apareciendo a un pariente.

4. La telepatía también demuestra el fenómeno de saber lo que otra - persona está pensando.

CONCLUSION: La comunicación telepática causa que la persona se coloque en un cautiverio emocional y de la voluntad. Puede llegar al punto de ser demoníaca.

III. CLARIVIDENCIA:

1. Definición: "Por clarividencia entendemos que es la percepción extrasensorial de hechos objetivos, de los cuales no se tiene ningún conocimiento y que esto se obtiene sin usar ninguno de los sentidos." Tischner

(1) Algunos llaman esta facultad "segunda vista"
(2) Watchman Nee lo clasifica como un poder latente del alma;

el poder del alma del hombre se convierte en el instrumento por medio del cual trabaja Satanás. (Véase Poder Latente del Alma)

2. Ejemplos de clarividentes:

    (1) Janne Dixon
    (2) Edgar Cayce

CONCLUSION: Los demonios pueden establecer comunicación con los hombres y comunicar a través de ellos conocimientos que éstos no pueden saber por sus sentidos.

IV. CLARISENTENCIA.

    1. Definición: Forma irracional para el diágnostico de enfermedades.

    2. Ejemplos tomados en el libro de Kurt Koch, Christian Counseling and Occultism (El Consejero Cristiano y el Ocultismo), pp.72-78.

    3. Método:

        (1) Concentración
        (2) Bola de Cristal
        (3) Tocando las manos
        (4) Por medio del péndulo.

CONCLUSION: Cuando se reciben beneficios de sanidad provenientes de poderes de lo oculto,"estos beneficios" traen sobre la persona condiciones posteriores peores a través de la opresión nerviosa y del miedo. Muchos de los que reciben sanidades de este modo se convierten en Psíquicos.

ADIVINACION.

INTRODUCCION: La adivinación es la practica por medio de la cual se predice el futuro por medios ocultistas. La curiosidad y la inseguridad en el hombre lo llevan a buscar respuestas en el futuro. Los poderes de las tinieblas ofrecen una variedad de formas que se pueden discernir y estas. son más antiguas que Babilonia. "Porque el rey de Babilonia se paró en una encrucijada, al - principio de los dos caminos, para usar de adivinación; ha sacudido las saetas, consultó a sus ídolos, miró el hígado. La adivinación señaló a su mano derecha..." (Ezequiel 21:21-22).

TEXTO: "Estate ahora en tus encantamientos, y en la multitud de tus hechizos, en los cuales te fatigaste desde tu juventud, quizá podrás mejorarte, quizá te fortalecerás. Te has fatigado en tus muchos consejos. Comparezcan ahora y te defiendan los - contempladores de los cielos, los que las estrellas, los que cuentan los meses, para pronosticar lo que vendrá sobre tí. He aquí que serán como tamo; fuego los quemará, no salvarán sus vidas del poder de la llama; no quedará brasa para calentarse, ni lumbre a la cual se sienten". (Isaías 47:12-14).

I. ASTROLOGIA.

1. Definición: La astrología es el estudio de las estrellas y sus posiciones relativas por medio de las cuales se predice el futuro y se influencia a las personas. El Zodíaco se convierte en el centro de atención.

2. Antecedentes: En Babilonia, la astrología era la ciencia de los - sacerdotes. Solamente los reyes recibían el horóscopo. Esta práctica se divulgó a los egipcios y a los caldeos. Como resultado de estudios de las culturas de los incas y de los aztecas se ha encontrado que - estos también practicaban la astrología. Esta data desde hace cuatro mil años.

3. El objetivo de la astrología (Walter Martin).

   (1) La astrología trata de penetrar el futuro.
   (2) La astrología trata de sacar orden del caos en que se encuentra el mundo de hoy que ha perdido su propósito.
   (3) La astrología está interesada en el ánalisis del carácter.
   (4) La astrología apela a la necesidad que el hombre tiene por propósito y poder.

4. Razones por las cuales los cristianos deben rechazar la astrología.

   (1) Proviene de antecedentes paganos.
       -Las estrellas eran equivalentes a los dioses, a medida que este aspecto disminuyó en importancia siguieron las mismas reglas,
   (2) La posición del Zodíaco es diferente a lo que creyeron los primeros astrólogos, sin embargo, se siguen las mismas reglas.
   (3) La astrología no está apoyada por datos ni por observaciones - científicas.
   (4) Es fatalista.
       -El destino de la persona está fijado en las estrellas.
       -Creencia antigua: Los rayos de las estrellas que caen sobre el niño en el momento en que este nace, deciden su suerte.

(5) Satanás es el computador maestro.
(6) Los efectos de la astrología son el engaño, la sugestión y el ocultismo.

5. La Biblia habla

   - Deuteronomio 17:2-5
   - Isaías 47:13-15
   - Jeremías 10:2

II. CARTOMANCIA (Los naipes del Tarot)

1. Su historia viene desde hace muchos siglos.
   -Los romanos poseían un sistema de tablas pequeñas que tenían inscritos distintos símbolos.
   -Los naipes aparecieron en el siglo octavo.

2. La cartomancia es una técnica utilizada para echar la suerte.
   - Setenta y ocho cartas de naipe se usan para predecir el futuro. La carta "diez de corazones" significa realización completa de una cosa; "el siete de corazones" es la carta del amor; "el diez de espadas" es una carta de buena suerte, etc.

3. Peligroso: la gente se convierte en víctima del poder de la sugestión y la predicción del futuro se convierte en una maldición.

III. LECTURA DE LA MANO

4. Historia: En la antigua Roma las ideas de astrología se mezclaban con la lectura de la mano. La palma de la mano se dividía en siete montículos planetarios a lo largo de las cuatro líneas principales.

2. Definición:

   (1) Quiromancia es el predecir el futuro leyendo las líneas de la mano.
   (2) Quirología es la interpretación científica de la forma de la mano y de sus líneas.
   (3) Grafología es la interpretación de la letra

3. Técnica: Cuatro líneas principales.

IV. ADIVINACION POR MEDIO DE UNA VARA O PENDULO.

Técnica: Una varita se mueve sobre las distintas partes del cuerpo Una vara en forma de tenedor se usa para averiguar fuentes de agua, depósitos minerales, etc.

V. USO DEL ESPEJO O DE LA BOLA DE CRISTAL.

1. Técnica: El mirar a un espejo o a una bola de cristal produce el - movimiento de las fuerzas subconscientes lo que dá entrada a poderes que están fuera de la persona.

2.- Propósito: Para descubrir cosas desconocidas, diagnosticar enfermedades.

VI. PSICOMETRIA.

1. Definición: Una supuesta facultad por medio de la cual adivinan cosas respecto a un objeto o a una persona que tiene conexión con éste por medio del contacto con el mencionado objeto.

CONCLUSION: Las técnicas para predecir el futuro cambian a menudo, pero el espíritu y la fuerza detrás de estas siguen siendo el mismo. La Biblia definitivamente prohibe la practica de la adivinación Lea las siguientes escrituras: Deuteronomio 18:9; Salmo 106:28, 35:38; Ezequiel 21:21; Amos 5:26.

MAGIA.

INTRODUCCION: Satanás se apareció a la mujer en el jardín y la tentó con las siguientes palabras: "...serás como Dios..." (Génesis 3:5). Ese engaño causó la caída del hombre. Desde esa época el hombre no ha cesado en su busqueda para obtener el poder para manipular y controlar. Por medio de los poderes de las tinieblas, el reino de las tinieblas ha ofrecido al hombre ese potencial. Procedentes de esta alianza maldita han venido - fórmulas y conjuros que han hecho del hombre su propio dios. La magia establece la voluntad de la persona como suprema.

TEXTO: "Cuando entres a la tierra que Jehová tu Dios te dá, no aprenderás a hacer según las abominaciones de aquellas naciones. No sea hallado en tí quien haga pasar su hijo o su hija por el fuego, quien practique adivinación, ni agorreo, ni sortilego, ni hechicero, ni encantador, ni adivino, ni mago, ni quien - consulte a los muertos. Porque es abominación para con Jehová cualquiera que hace estas cosas, y por estas abominaciones - Jehová tu Dios echa estas naciones de delante de tí. Perfecto serás delante de Jehová tu Dios." Deuteronomio 18:9-13.

DEFINICION.

1. La magia es el muy disputado arte, o por lo menos el intento por saber y dominar el espíritu-del hombre o del mundo animal o vegetal, junto con el mundo de la materia inanimada por medio de medios extrasensoriales y con la ayuda de lo místico y las ceremonias que lo acompañan." Kurt Koch.
   Mientras que por medio de la adivinación se busca el conocimiento del pasado, presente y futuro, en la mágia se busca la manipulación del mundo de los espíritus con el objetivo de conseguir beneficios personales. El individuo asume el papel de Dios.

2. Magia Negra:

   (1) Busca subyugar al enemigo por medio de la mágia. Ejemplo: Una joven en el Brasil, se casó contra la voluntad de sus familiares y murió porque le pusieron una maldición
   (2) Técnicas: Ofreciendo pollos, licor, tabaco, etc.

3. Magia Blanca:

   (1) Los participantes claman el poder de Dios por las siguientes razones:
      a. Se usan símbolos cristianos.
      b. Se usan los nombres de la Santísima Trinidad
      c. Se repite tres veces el Padrenuestro, tres cruces, tres versículos de la Biblia, tres velas, etc.
   (2) Liturgia: La falsificación de la verdadera adoración.
      a. invocando - falsificación de la oración.
      b. diciendo encantamientos - falsificación de la lectura de las Escrituras.
      c. Acción simbólica - mímica de la imposición de las manos, bautismos, etc.
      d. Fetiche - falsificación de la Santa Cena del Señor, etc.

(3) Levey niega las diferencias entre la magia blanca y la magia negra.
(4) Observaciones:
   a. En la verdadera oración de fe la persona se somete a Dios mientras que en la magia blanca se compele o se trata de forzar a Dios para que actúe.
   b. La voluntad de la persona se hace suprema en vez de la voluntad de Dios.

4. Magia neutra:
   –El uso de las fuerzas neutrales de la naturaleza con el objeto de obtener salud.

II. LA MANIPULACION DE LAS FUERZAS ESPIRITUALES SATISFACE AL HOMBRE EN LA BUSQUEDA DE PODER - "Seréis como Dios". G'énesis 3:5)

Poderes obtenidos por medio de la magia:

(1) Habilidad para conjurar los espíritus.
(2) Amor y complacencia de hombres y mujeres.
(3) El descubrimiento de todos los tesoros y la seguridad de poseerlos.
(4) El recobrar objetos robados.
(5) Poder de hacerse invisible.
(6) Ser ganador en todos los juegos.
(7) Conocimiento.
(8) El poder de causar daño o muerte en animales o personas.

III. LA RAIZ DE LA MAGIA ES LA REBELION CONTRA LA VOLUNTAD DE DIOS Y SUS ORDENANZAS.

1. Esta puerta se abre por la rebelión contra la autoridad.

   (1) La autoridad de los padres.
   (2) La autoridad del gobierno.
   (3) La autoridad Divina.

2. Al orar por la liberación tenemos que tratar con la raíz de la rebelión (I Samuel 15:23)

3. Las ordenanzas de Dios se dejan a un lado en el sexto y séptimo libros de Moisés
   – La primera parte del libro revela como el hombre puede entrar en una relación con el diablo.
   – La segunda parte da instrucciones de la forma como la persona puede lograr el dominio de todas las fuerzas de la naturaleza y de los poderes del cielo y del infierno por medio de la magia.

IV. REFERENCIAS BIBLICAS RESPECTO A LA MAGIA.

1. Los magos de Egipto (Exodo 7:11, 22)
2. Prohibida (Deuteronomio 18:10; Levítico 19:31)
3. El poder de la brujería no puede salvar (Isaías 47:9, 12)

CONCLUSION:
          (1) El hijo de Dios está protegido por medio de la sangre de Cristo.
          (2) La oración obstaculiza a la magia;
          (3) Por medio de Cristo se puede conseguir la liberación total.

EL OCULTISMO Y EL MISTICISMO

INTRODUCCION: El misticismo afirma la posibilidad de conseguir conocimiento de las verdades espirituales por medio de la intuición adquirida por medio de una meditación detenida. Se dejan a un lado el medio del razonamiento humano para obtener conocimiento.

Esta doctrina proviene de disciplinas tales como yoga, alquemismo, astrología, kabbalah, taoismo, tantra y zen. Hoy en día esta práctica se lleva a cabo en diferentes formas; siendo las más prominentes la meditación trascendental y las artes marciales. La doctrina básicamente niega el Dios personal del cristianismo, afirma la divinidad inherente del hombre y rechaza los valores morales.

. CUATRO PENSAMIENTOS BASICOS DEL MISTICISMO
(Nota: La siguiente información ha sido tomada de un panfleto intitulado "La filosofía del Ocultismo y la Experiencia Mística" escrito por Spirited Counterfits project (Proyecto contra la falsificación de lo espiritual).

1. "Todo es Uno"

  (1) Todas las distinciones se disuelven en una sola unidad no diferenciada.
  (2) Conclusión: Solamente hay una Realidad en existencia.
  (3) Todas las separaciones y oposiciones aparentes no son reales.
  (4) Todos los "objetos" y los "individuos" son meros destellos del Uno que incluyen al todo.
  (5) El estado de una percepción incondicional e ilimitada trae a la persona a la conciencia de la Realidad última.

2. El hombre es un ser divino.

  (1) La meditación lleva al hombre a la experiencia de su propio yo interior.
  (2) La auto-percepción lleva al individuo a la experiencia de unidad con la divinidad interior.
  (3) El propio yo del hombre es Dios.

3. El propósito y la realización de la vida es la percepción de nuestra naturaleza divina.

  (1) Un rayo de percepción metafísica lleva al hombre a la "ilustración, Iluminación, "unidad", "unión", o "auto-realización."
  (2) Lo personal, lo subjetivo y lo experiencial son la fuente de sentido y verdad.

4. La auto-realización lleva a la maestría de la tecnología espiritual y el logro del poder psico-espiritual.

  (1) El hombre-Dios se convierte en el maestro y creador de su propia realidad.
  (2) Por medio de su conocimiento y la utilización de las leyes espirituales, el individuo recibe la capacidad para crear y manipular las condiciones de su propio desarrollo y del desarrollo de otros.
  (3) Como la realidad se compone de la consciencia, (es decir, del conocimiento de uno mismo), el hombre aprende a controlar la realidad por medio del control de la consciencia.

(4) El aprender a alterar la estructura de la creación por medio del control de la consciencia --en este punto el misticismo se convierte en magia.

CONCLUSION: Por medio del misticismo el hombre se sumerge en sí mismo para encontrar a Dios y en la sumersión obtiene la disolución de su identidad e individualidad. El hombre es resucitado como divino y por medio de la consciencia está capacitado para controlar el mundo de la realidad. Al adorar la creación el hombre se entrona como Dios.

II. CUATRO DISCIPLINAS BASICAS DEL MISTICISMO QUE EXPONEN AL OCULTISMO.

1. Meditación Trascendental.

(1) El autor Maharishi Mahesh Yogi, fué discípulo del guru Dev, que fué el líder reorganizador del Hinduísmo Vedántico.

(2) Ofrece la sanidad de las enfermedades espirituales del hombre en todas las áreas.

(3) Promete llevar al individuo a un estado de "consciencia de Dios" en la que "cesa la destrucción de la vida... los planos mentales y físicos llegan a un plano espiritual que tiene vida eterna."

(4) Asegura que la Meditación Trascendental no es una religión, sin embargo el proceso de iniciación es un canto de adoración a Shri Guru Dev.

(5) Al cantar los mantras llevan a la persona a la comunicación con el mundo de los espíritus en el que el contacto con los demonios es posible.

2. Yoga.

(1) Por medio de ejercicios físicos, técnicas de meditación y de respiración y con la ayuda del ascetísmo, el yoga está diseñado para separar al alma de lo terrenal.
(2) El principal énfasis está colocado en el ciclo de renacimiento, también llamado la transmigración del alma.
(3) Cuando el alma se purifica por medio de la reencarnación vá a llegar a la larga a ser idéntica al espíritu universal (Brahma).
(4) El Hatha yoga hace énfasis en las técnicas físicas de la purificación.
(5) El Mantra yoga enfatiza las técnicas de meditación para identificar al individuo con el espíritu universal.
(6) El yoga está envuelto en toda clase de poderes ocultistas por medio de la meditación y los mantras.

3. Eckankar.

(1) De acuerdo a la propia definición de Eckankar, es el camino a la realización de Dios por vía de la "antigua ciencia de los viajes del alma".
(2) Enseña al hombre a que se olvide de su mente y regrese al vacío al reino de Dios.

(3) El hombre, quien es un espíritu puede salirse de su cuerpo a voluntad y ser liberado del mundo de la materia, la energía, el espacio y el tiempo.

(4) El presente líder, Sri Darwin Gross, mantiene unión psíquica con 20,000 seguidores alrededor del mundo.

4. Karate.

(1) El sistema de pelear sin armas que surgió del antiguo jiujitzu. Este fué combinado con el Zen Budismo para desarrollar guerreros Samurais.

(2) Hoy en día se enseña Karate en conexión con varias formas de meditación trascendental.

(3) Al individuo se le enseña a usar su cuerpo como un arma y a reaccionar como una serpiente sin pensarlo.

(4) El Karate se convierte en una trampa espiritual, ya que se basa en una filosofía de violencia que está ligada a lo sobrenatural por medio de la meditación.

CONCLUSION: El ocultismo en todas sus formas consiste en técnicas secretas para alteración de la consciencia, unidos con doctrinas secretas que explican el significado íntimo de las experiencias que se han tenido. Como conclusión sacamos que tanto el misticismo como el ocultismo están íntimamente unidos y su raíz invariablemente va a llevar a sus seguidores al mismo camino.

LIBERACION DE LA OPRESION DEL OCULTISMO.

I. CUATRO FORMAS QUE PUEDEN SER ORIGINADAS POR MEDIO DEL PODER OCULTISTA Y LA OPRESION.

    1. Herencia- dos posibilidades: genes y sucesión. Cuando los antepasados (padres, abuelos, etc.) han participado, la opresión puede venir hasta la tercera o cuarta generación.

    2. Sujeción del individuo al demonio. (pactos, etc).

    3. Experimentos con el ocultismo se establecen alianzas con los espiritus malignos (brujería, ouija)

    4. Transferencia ocultista.

II. PREGUNTAS:

    1. Como es posible que un cristiano continúe sufriendo por la opresión y sujeción causadas por la participación en el ocultismo antes de su conversión?

    Respuesta: La puerta que se ha abierto a los poderes de las tinieblas permanece abierta a menos que se cierre por un acto de la voluntad de la persona que la abrió.

    2. Puede un cristiano aunque nunca haya participado en ninguna forma de ocultismo estar oprimido o sufrir de sujeción?

    Respuesta: Sí, por varias causas: (1) Puede ser pasado de padres a hijos, (2) los niños pueden ser infectados por ciertas bendiciones ocúlticas que los padres hayan buscado. (3) Al ver películas o televisión en los que muestren filmes del ocultismo.

III. METODOS DE LIBERACION.

    1. Confesando la fe en Cristo.

    2. Confesando los pecados del ocultismo.
    --"El admitir es desenmascarar la presencia del enemigo y revelar hasta que punto éste tiene cautiva a la víctima". Freeman.

    3. Renunciando a Satanás y ordenándole que se retire.

    4. La oración de liberación.

IV. EFECTOS DEL OCULTISMO.

    1. Rebelión contra la autoridad.

    2. Las drogas.

    3. Pornografía-lujuria sexual,

    4. Meditación trascendental

    5. Música (El rock ácido).

BIBLIOGRAFIA

Las citas de las Sagradas Escrituras han sido tomadas dela Santa Biblia Versión de Casiodoro de Reina y Cipriano de Valera. Versión 1960.

Harper, Michael, Spiritual Warfare (Lucha Espiritual), Logos International, - Plainfield, New Jersey.

Nee, Watchman. The Spiritual Man (El hombre Espiritual), Volúmen número Tres, Christian Fellowship Publishers, Inc., New York.

Penn-Lewis, Jessie. War of the Saints (La guerra de los Santos), Thomas E. Lowe, Ltd. New York.

Koch, Kurt. Between Christ and Satan (Entre Cristo y Satanás). The Devil's Alphabet, (El Alfabeto del Diablo), Occult Bondage and Deliverance, (Cautiverio y Liberación del Ocultismo), Christian Counseling and Occultism, (Consejero - Cristiano y Ocultismo). Kregel Publishers.

Unger, Merrill F. Demons in the World Today (Los Demonios en el Mundo Hoy) Tyndale Publishers.

Philopott, Kent. A Manual of Demonology and Occult World. (Un Manual de Demonología y del Mundo del Ocultismo). Zondervan Publishers.

Martin, Walter. "World of the Occult Series" (Serie del Mundo del Ocultismo), One Way Library, Costa Mesa, California.

"Spiritual Counterfeits Project" (Proyecto de falsificaciones Espirituales). Berkeley, California.

Freeman, Hobart. Angels of Light (Angeles de Luz) Logos International

Made in the USA
Coppell, TX
17 November 2023

24336785R10046